HARRIET BEECHER STOWE

La cabaña del tío Tom

PUBLICACIONES FHER, S. A.

VILLABASO, 9 - BILBAO – ESPAÑA

© 1984 PUBLICACIONES FHER, S. A. - BILBAO (España)

Depósito Legal: BI-1850-84

Impreso en 1985 en los talleres de PUBLICACIONES
FHER, S. A. Calle Villabaso, 9 - Bilbao (España)
PRINTED IN SPAIN

I S B N : 84-243-0122-6

Capítulo I
EL DRAMA DE LOS NEGROS

En una tarde desapacible del mes de febrero, dos hombres conversaban en el confortable salón de la mansión Shelby. Uno era bajo y grueso y el otro esbelto y elegante.

—De acuerdo, Haley: saldaré mi deuda entregándole a mi criado Tom. Le aseguro que es muy trabajador.

Su interlocutor realizó un gesto despectivo.

—¡No hay un negro decente! Y tengo razones para decirle esto, señor Shelby.

—Creo que Tom es diferente. Lamento profundamente separarme de él: es insustituíble.

El negrero Haley estalló en sonoras carcajadas.

—Sólo lo hago por tratarse de un amigo. En ningún otro caso realizaría el cambio. Aunque deberá entregarme, además de Tom, algún otro muchacho...

—Me resulta imposible entregarle a nadie más —protestó el señor Shelby—. Y si no fuera por la gravedad de mi situación económica, Tom tampoco sería suyo.

Entró en ese preciso momento en el salón un gracioso negrito, de unos cinco años de edad, dando saltos, y su dueño, el señor Shelby, para mostrar sus habilidades al visitante, le arrojó un racimo de uvas, que el chiquillo recogió diestramente de otro salto. Luego se acercó a su amo y éste le acarició suavemente sus cabellos, al tiempo que le decía:

—Ahora, Enrique, canta y baila ante este caballero.

Y el negrito, de la mejor gana, entonó una de las melancólicas canciones de su raza, mientras movía su cuerpo rítmicamente.

Tan bien actuó, que el negrero exclamó entusiasmado:

— ¡Magnífico, Shelby! ¡Este crío es una joya! Entréguemelo con Tom y saldo la deuda que le atormenta.

Llegó entonces una joven negra de veintitantos años, explicando tímidamente que iba a llevarse a su Enriquito. A una seña del señor Shelby, salió con él.

—Le compro también esa negra, Shelby —propuso Haley, dirigiendo aún su mirada hacia donde había desaparecido la muchacha.

—Elisa no se halla en venta, señor Haley —declaró secamente el señor Shelby—. Mi mujer no se desprendería de ella por nada del mundo.

—Bueno, en ese caso, me entregará usted al chiquillo. Soy de buen conformar.

El señor Shelby miró fijamente al negrero.

—¿Qué hará usted con él? —le preguntó.

—A buen seguro que podré venderlo fácilmente. Los ricos los emplean para pajes.

—Es doloroso separar a un hijo de su madre —murmuró el señor Shelby—. No puedo vendérselo.

—Es natural —dijo Haley, sonriendo cínicamente—. Pero la separación se puede realizar hábilmente. Se dice a la madre que emprenda un viaje de una o dos semanas; a su regreso, se le regalan, en compensación, unas baratijas.

—Eso es cruel. No haré tal cosa con Elisa.

—Por lo que me dice, deduzco que usted supone que los negros son como los blancos. Pero a ellos se les pasan en seguida los disgustos. Reconozco que, a veces, alguna madre empieza a gritar como loca cuando se ve separada de su hijo. Es lo que hay que evitar, para que el negocio no se malogre.

Y, al darse cuenta de que Shelby le observaba en silencio, prosiguió:

—Le diré, señor Shelby, que yo casi siempre entrego mis lotes de negros en excelentes condiciones físicas. Me resulta más provechoso tratarlos humanitariamente. No se estropean. En cambio, mi antiguo socio, Tomás Loker, era un bárbaro. Golpeaba a los negros con su látigo sin compasión, a pesar de que es el hombre más bondadoso que existe en el mundo. Nada conseguía yo con advertirle que estropeaba la mercancía, que los inutilizaba para el trabajo, y de este modo bajaban de precio. Al final, hube de separarme de él.

—Así, que su procedimiento es más eficaz, ¿verdad? —inquirió el señor Shelby, que le contemplaba desaprobadoramente.

—Por supuesto —afirmó el negrero—. Y, además, no los vendo ante sus compañeros, sino aparte.

—Con mis negros no darían resultado sus métodos.

—Se equivoca —dijo Haley—. No crea que sus negros son diferentes. El afecto que siente que le profesan sólo es debido a que saben que son sus esclavos. Concediendo que esos negros hayan tenido alguna vez sentimientos, los latigazos que han recibido antes de llegar a usted se los han arrancado de raíz.

Sonrió y agregó suavemente:

—Convénzase de que yo me comporto con ellos excesivamente bien... Entonces, ¿estamos de acuerdo?

—Permítame que hable con mi esposa —dijo el señor Shelby.

—Como quiera. Pero le advierto que han de resolverlo pronto.

—Vuelva por mi casa a las siete.

Cuando el negrero salió, el señor Shelby apretó los puños y sus ojos despidieron fuego.

— ¡Inhumano! —exclamó, airado—. ¡He estado a punto de abofetearle el rostro! Pero sabe que me hallo entre sus garras a causa de esa deuda, y se aprovecha de ello. ¡Y he de vender a mi buen Tom! Es lo único que me cabe hacer. ¿Qué dirá, Dios mío, mi esposa?

De entre los Estados del Sur, Kentucky era donde los negros estaban mejor considerados. Pero la terrible ley que regía a los demás, existía también en él, y por ella los negros quedaban transformados en objetos aptos para ser vendidos o cambiados, según el capricho o necesidad de sus dueños. El señor Shelby jamás había maltratado a ningún esclavo, y los que vivían a sus órdenes sentían que les mandaba un verdadero padre. Sin embargo, aquella vez, las circunstancias habían cambiado: los malos negocios le habían obligado a firmar pagarés que guardaba el desaprensivo Haley.

Esa era la causa de que éste se hubiera presentado en la mansión y exigido el pago, para satisfacer el cual iba a ser sacrificado el mejor de los esclavos de Shelby: Tom.

Aquella charla, accidentalmente, fue escuchada por Elisa, quien se enteró de lo que se pretendía hacer con su querido Enriquito. Desde aquel momento, no acertó a hacer cosa derecha. Al observar que algo anormal le sucedía, la señora Shelby, bondadosamente, le preguntó qué le ocurría. Elisa rompió en amargos sollozos.

—Bueno, bueno, Elisa... ¿puede saberse qué te sucede?

Haciendo un esfuerzo, la madre reprimió su llanto.

—El señor quiere entregar a mi hijo al negrero Haley —exclamó—. Se lo he oído decir.

—¡Qué cosas se te ocurren decir, Elisa! —protestó la señora—. Ya sabes que tu amo siempre es muy bueno con todos vosotros y que jamás os vende, excepto si alguno no se porta como es debido. Descuida, Elisa, que mi esposo no desea hacer daño alguno a una sirvienta leal como eres tú.

—Pero si él... decide venderlo... ¿me promete usted que lo impedirá por todos los medios?

—Naturalmente que sí —aseguró la señora Shelby—. A tu Enriquito lo considero como hijo mío.

Más calmada, Elisa siguió vistiendo a su ama, considerando que su gran bondad convencería a su esposo y le haría desistir de cualquier proyecto que afectara a su hijo. Sabía Elisa que la señora Shelby poseía un gran ascendiente sobre su marido, y que siempre conseguía que prevalecieran sus deseos, en los asuntos referentes a los negros. Desgraciadamente, Elisa ignoraba que las razones que movían a actuar de aquel modo al señor Shelby eran muy poderosas.

Cuando la dama salió de la casa a girar su visita, Elisa notó que una mano se posaba en su hombro. Se volvió y vio que era Jorge, su esposo. Silenciosamente, le condujo a su cuarto, situado cerca de las habitaciones de su ama. En él, estaba Enriquito, que miró a su padre sonriendo graciosamente.

—Tenemos un hijo que es un tesoro, ¿verdad, Jorge? —comentó Elisa, acariciando al pequeño.

Pero el esposo murmuró sombríamente:

—¡Le hemos traído a un mundo perdido!

Elisa se aproximó a él y le miró asustada e interrogante.

—Discúlpame, querida —suplicó Jorge—. Pero hubiera sido mejor no haber llegado a conocernos.

—¡Calla, Jorge! —exclamó ella—. Tú has sido mi felicidad. ¿Por qué hablas así?

—Ha sucedido algo que hace que odie a nuestros amos. A todos —Jorge trataba de contener su dolor y su ira—. Mi amo me cedió al dueño de una industria, donde he aprendido a desmotar el algodón... y he conseguido inventar una máquina capaz de realizar este trabajo en menos tiempo y mejor. Pero mi amo, furioso al saber mi triunfo, me sacó de aquel lugar y me llevó a sus campos, obligándome a realizar las labores más ingratas. El anterior dueño quiso comprarme, pero mi amo se negó obstinadamente. Me ha azotado con crueldad, lo mismo que su hijo. ¡Ya no puedo resistir más!

— ¡Pobre Jorge! —se lamentó su esposa, llorosa—. ¡Es terrible!

—Y, no contento con eso —prosiguió Jorge—, me ordenó que matara a un perro al que yo tenía por excelente compañero, alegando que bastante era con darme de comer a mí. Le dije que no, y él me lo arrebató, le ataron una piedra al cuello y lo arrojaron sin piedad al lago. Jamás olvidaré la mirada que el pobre animal me dirigió cuando le estaban sujetando la piedra; con ella me preguntó: "Amito, ¿no puedes ayudarme?".

— ¡Oh, qué bárbaros! —casi gritó Elisa.

—He llegado al límite de mis fuerzas. Un hombre no puede resistir tanto. ¡Acaso no tarde mucho mi amo en probar la fuerza de mi brazo!

Su esposa se asustó al oírle hablar de aquella manera. Le abrazó y, entre sollozos, le aconsejó:

— ¡Olvida los agravios y perdónale, Jorge! ¡Confía en el Señor!

—Tu caso es diferente, Elisa —dijo Jorge, más calmado—. Vives en una casa donde tus amos te tratan benévolamente. Ni tú ni yo hemos podido olvidar que el habernos casado lo debemos a la señora Shelby, que nos ayudó con su bondad habitual y sufragó todos los gastos. A ti sí que te es posible, Elisa, conservar aún alguna esperanza en el mundo. Pero, yo... Te referiré lo peor de todo.

—¿Es que te ha hecho sufrir más? —preguntó Elisa, temerosa, con voz quebrada.

—Escucha: mi amo jamás estuvo de acuerdo con mi boda con una esclava de los que él llama orgullosos

Shelby. A ello achaca mi supuesto orgullo, a que lo he heredado de ti. Y el malvado ha forjado un plan diabólico: separarme para siempre de ti. Va a venderme a los negreros del Sur.

—¡Pero nosotros estamos casados tan legalmente como los blancos! —expuso Elisa, espantada ante la terrible revelación—. ¡Nada ni nadie nos puede separar!

Jorge sonrió dolorosamente y dijo:

—Nadie... excepto el amo al que pertenezcamos. Somos negros, Elisa. Nos encontramos a merced de lo que quieran hacer con nosotros nuestros dueños.

Miró a su hijo, que, sin preocuparle aquella conversación, se entretenía jugando por el cuarto, y agregó:

—Y lo más terrible es pensar que a él le aguarda un porvenir semejante.

—Mi amo es bueno y no admitirá que nuestra separación se lleve a efecto —aseguró confiada Elisa.

—Pero si fallece, estaremos perdidos. He decidido salir del país y marchar al Canadá, a hacer fortuna con la que poder rescataros a los dos. Entonces, viviremos felices... ¡y libres!

Elisa le miró aterrorizada, no atreviéndose a creer lo que acababa de oír.

—Te matarán en el camino —exclamó.

—Será mejor que volver a ser esclavo —opinó Jorge, en su desesperación.

Resultaron inútiles las protestas de la pobre Elisa para hacerle desistir del plan trazado. Jorge se mantuvo inflexible, por considerar que aquélla era la mejor solución. ¡Sólo Dios sabe los esfuerzos que hubo de realizar para no ceder a las súplicas de su querida esposa! Se abrazaron con la vaga sensación de que jamás se volverían a ver. Después, Jorge tomó a Enriquito en sus brazos y lo besó tiernamente. Instantes más tarde, salía presurosamente de la habitación.

Capítulo II

EL ESCLAVO FIEL

En las proximidades de la mansión de los Shelby se alzaba la cabaña de Tom, construída de sencillos troncos. A su alrededor, una huerta bien cuidada y macizos de flores, hablaban claramente del buen gusto de sus dueños. Es decir, de Tom y de tía Clotilde, su esposa, la cual se envanecía de poseer el huerto más lindo del distrito. En lo referente al arte culinario iba ya más lejos: presumía de ser la más hábil cocinera de todo Kentucky. Su figura gruesa y su rostro redondo y carnoso, tan lustroso como las mismas cacerolas que limpiaba, resultaban familiares y queridos a muchos forasteros que llegaban a la cabaña a conversar un rato y saborear algún pastel de la dueña; lo mismo sucedía al primogénito de los Shelby, muchacho de unos trece años, que veía transcurrir sus mejores horas en aquel acogedor lugar. Y no solamente se sentía allí feliz, sino también eficiente, pues se había constituído en maestro de Tom. En aquel momento, éste se ocupaba en copiar unas letras de una pizarra, bajo la atenta mirada del chico.

—Un poco más a la derecha, tío Tom —le advirtió el joven Shelby—. Ese rabito debe ir un poco hacia la derecha para que la "q" no se parezca a una "g".

—¡Es cierto! —se extrañó el buen Tom, admitiendo la reconvención humildemente.

Tía Clotilde interrumpió su quehacer y dijo:

—Ya ves todo lo que sabe nuestro amito y lo bueno que es molestándose en venir aquí todas las tardes.

—Porque sé que obtengo una excelente recompensa —sonrió Jorge, que así se llamaba el muchacho—. ¿Qué es de mi pastel?

—En seguida, señorito Jorge —exclamó tía Clotilde—. En cuanto dejen ustedes la mesa libre para la comida.

Y la buena mujer le obsequió con unos sabrosos fritos; y cuando, poco después, Jorge saboreaba una deliciosa tarta, descubrió a los hijos de Clotilde.

— ¡Moisés, Pedro, acercaos! —dijo—. Tía Clotilde, prepare otros fritos para los chiquillos.

Tía Clotilde se dispuso a preparar nuevos fritos para ella misma y para sus tres hijos, en tanto que Jorge entregaba a cada uno de los chiquillos un trozo de su ración de tarta.

Concluída la comida, tía Clotilde, después de depositar a la pequeñuela en las rodillas de Tom, se dedicó a recoger la mesa.

— ¡Parece una muñeca! —exclamó Tom, observando feliz a la niña, no importándole que ésta se empeñara en arañarle y tirarle de las narices.

Tom era un hombre fuerte y de elevada estatura, de rostro color caoba, inteligente y de expresión bondadosa. Su aspecto imponía respeto, especialmente por la dignidad que emanaba de su semblante. Todo el mundo le quería porque sabía que podía confiar en él como en un hermano.

Su bondad se traslucía hasta en sus más nimias acciones. En aquellos momentos se había colocado sobre sus hombros a la chiquilla y había empezado a bailar y saltar alegremente en medio del cuarto, mientras los otros niños se agarraban de sus piernas.

—¿Queréis dejar de meter ese ruido? —protestó tía Clotilde vehementemente, aun cuando sabía cuán inútiles eran sus protestas. Sabía que la juerga concluiría únicamente cuando Tom se sintiera cansado. Como así sucedió providencialmente, ya que aquella misma noche iba a celebrarse en la cabaña una asamblea religiosa, según costumbre de los negros, y era necesario improvisar asientos para todos los concurrentes, lo que se solucionó con unos toneles y unas tablas, que, unidos a las pocas sillas que había en la cabaña, resultaron más que suficientes. Después que Tom realizó estos menesteres, tía Clotilde respiró tranquila.

A la hora debida, empezaron a llegar negros de todas las edades. Al llenarse la cabaña, dio comienzo la asamblea con las noticias que se comunicaron unos a otros, casi todas relativas a los amos blancos, ya que todos los presentes eran esclavos. A continuación entonaron todos diversos cánticos religiosos interrumpidos solamente para dar lugar a algún orador a que recitara alguna oración sagrada.

Jorge asistía encantado a aquella sencilla escena y, a requerimiento de los asistentes, leyó los capítulos finales del Apocalipsis, aclarando a continuación el sentido de algunos misterios, en medio de la satisfacción general.

En aquellos momentos, tenía lugar en la mansión de los Shelby una escena muy diferente. El negrero Haley estaba entregando al señor Shelby unos billetes de Banco; el buen hombre los recogía casi con repugnancia, por no olvidar el precio que pagaba por ellos. Luego, firmó el documento correspondiente de venta sin apenas mirarlo. Entonces, Haley le entregó unos deteriorados pagarés, al tiempo que decía:

—Asunto arreglado.

—Arreglado... —murmuró el señor Shelby, dolorido.

—¿No ha quedado satisfecho? —le preguntó irónicamente el negrero.

—Sólo me preocupa que usted no cumpla lo prometido: sabe que debe vender a Tom a gente honorable.

—Haré todo lo posible por complacerle.

Así diciendo, el traficante se despidió y salió, dejando al dueño de la mansión dominado por crueles remordimientos.

Horas más tarde, se reunía en sus habitaciones con su esposa, quien le preguntó distraídamente:

—¿Quién era ese hombre tan desagradable con quien hablabas?

—Haley. Tenía con él ciertos asuntos pendientes.

La señora Shelby miró a su esposo y se dio cuenta de que se mostraba nervioso.

—¿Era, acaso, un negrero? —inquirió recordando algo que le dijera Elisa.

El señor Shelby se volvió bruscamente.

—¿Por qué me preguntas tal cosa? —exclamó.

—No te extrañe —sonrió su esposa—. Esta tarde me ha revelado Elisa que sospechaba que tú estabas tratando la venta de su Enriquito. ¡Qué asustada vi a la pobre! Le dije que eso era imposible.

El señor Shelby no se atrevió a mirar a los ojos a su esposa, pero pensó: "Es indudable que debo ponerla al corriente de lo sucedido, y cuanto antes, mejor".

—Escucha, querida —empezó diciendo—: sabes que jamás tuve tratos con traficantes de esclavos. Pero hoy me he visto obligado a ello. Lo siento más que tú, te lo aseguro. Mis negocios atraviesan una mala época. Y te diré que ha sido a Tom a quien he debido vender.

La señora Shelby quedó inmóvil, desconcertada por aquellas terribles palabras que jamás hubiera pensado oír de labios de su esposo.

—¡Pobre Tom! —exclamó con contenida indignación—. Te sirvió lealmente desde su infancia, ¿lo has olvidado? ¡Y ahora se lo pagas de esta forma! Además,

le habías prometido la libertad. ¡Es espantoso, Arturo! Después de esto, puedo creerlo ya todo, incluso que también has entregado a ese hombre a Enriquito.

El señor Shelby hizo acopio de todo su valor para poder seguir confesando lo sucedido.

—Sí, también he vendido al niño. Acabo de cerrar una odiosa operación: la venta de dos de mis negros. Estoy avergonzado, si es que quieres oírmelo decir. Pero te advierto que esto es lo que hacen todos nuestros conocidos diariamente.

—Pero, ¿por qué a Tom y a Enriquito? —preguntó con desesperación la esposa—. ¿Por qué a ellos, precisamente? Tenemos otros esclavos a los que estimamos menos.

—El negrero me ha pagado por ellos un excelente precio —explicó apenado el señor Shelby—. No he tenido más remedio que cederles, si queríamos salvarnos.

Emilia estaba anonadada. Se cubrió el rostro con sus manos y exclamó:

— ¡Ah, mil veces odiosa esclavitud! ¡Es la muerte para los esclavos y el mayor de los tormentos para los amos que sienten humanamente!

—Sabía que te dolería de este modo, pero ya nada tiene remedio. La escritura de venta está firmada.

La señora Shelby tomó su reloj de oro y, mientras jugueteaba con él entre sus dedos, dijo:

—Hablaré con ese traficante y le ofreceré este reloj a cambio de nuestros dos negros. Sé que es de gran valor. ¡Si, cuando menos, nos devolviera a Enriquito!

—Nada nos es dado hacer —murmuró sordamente el señor Shelby—. Ese hombre ya se ha hecho cargo de las escrituras. Y exige que mañana mismo le entregue lo ofrecido. Tengo pensado salir a caballo para no ver la partida de Tom. No podría resistirlo. Y te aconsejo que te ausentes tú también, haciendo que te acompañe

Elisa; de este modo, no presenciará cuando su hijo sea arrancado de esta casa...

—No esperes eso de mí, Arturo. No quiero actuar de cómplice. Veré a Tom y trataré de consolarle. Pero, ¿qué podré decir a Elisa? ¡Ah, Dios se apiade de nosotros!

El deseo de la señora Shelby habría sido insistir con súplicas a su esposo para que deshiciese el nefasto trato, pero comprendió que sólo lograría disgustarle más. Le conocía bien y sabía que si realizó aquella operación es que se vio obligado a ello. No, no debía importunarle más y sumar sus reproches a los de su propia conciencia. Por lo tanto, optó por retirarse a su dormitorio, con la esperanza de que el día siguiente trajera alguna solución al grave problema.

No había permanecido ociosa Elisa, durante el tiempo que duró la anterior conversación. Instigada por su celo de madre, se atrevió a escucharla, averiguando todo lo que de terrible encerraba para ella. Ahogando sus sollozos, corrió a la habitación donde dormía su Enriquito en la pequeña cuna, con sus ensortijados cabellos y su sonrisa angelical. Elisa le besó, pero ya sin lágrimas, pues acababa de descubrir lo que iba a hacer a partir de ese mismo momento.

—Yo te salvaré, hijo mío —aseguró al pequeño, muy decidida, tomando algo de ropa y formando un hatillo. Después, cogió una pluma y escribió con dificultad las siguientes líneas:

"Perdóneme, mi ama, pero debo huir con mi hijo. Escuché la conversación que anoche sostuvo con su esposo y no tengo otro remedio que llevármelo. Usted, en mi caso, haría lo mismo. ¡Que el Señor les premie las bondades con que siempre me han favorecido!".

Sacó a Enriquito de la cuna, le vistió en un momento y, abrazándole fuertemente, sin olvidar el bulto de ropa, salió de aquella casa, dirigiendo sus pasos a la cabaña de Tom, a cuya puerta llamó.

—¿Eres tú? —exclamó tía Clotilde, al abrir y descubrir de quién se trataba—. ¿Qué sucede?

—Acabo de huir de la casa de nuestro amo —explicó apresuradamente Elisa—. Quiere vender a mi Enriquito a ese hombre llamado Haley.

—¿Vender? —casi gritaron, a una, tía Clotilde y Tom, altamente sorprendidos.

—Lo he oído todo. Y también le ha vendido a usted, Tom. Mañana vendrán a buscarle y llevárselo.

La enorme humanidad de Tom se desplomó sobre una banqueta, como fulminada.

—¿Qué le ha hecho Tom al amo para que le venda? —preguntó angustiosamente tía Clotilde.

—No tiene nada contra él —dijo Elisa—. Es que precisaba urgentemente de dinero...

Tía Clotilde, aparte de excelente cocinera, era una mujer de ánimos y recursos. Pasado el primer instante de desconcierto, reaccionó y dispuso el plan a seguir.

—Me parece muy bien que huyas con tu hijo, Elisa —dijo—. Lo mismo debe hacer mi Tom. Ahora mismo le prepararé algo de ropa y comida y escapáis los dos.

La voz grave de Tom cortó en flor aquella iniciativa. El negro habló de un modo que parecía bien meditado.

—Yo me quedo —anunció—. Que se vaya Elisa, que ha de velar por la seguridad de su hijo. Pero el amo me necesita y nunca le he fallado. Me quedo. Soy fuerte y sobreviviré a cualquier trabajo. El Señor cuidará de ti, Clotilde, y de ellos...

Señaló el cajón donde dormían sus hijos, pero hubo de inclinar la cabeza, ocultar el rostro en sus grandes manos y llorar como un chiquillo.

Capítulo III

EL VALOR DE UNA MADRE

El señor y la señora Shelby despertaron muy tarde a la mañana siguiente. Habían dormido muy mal debido a la tensión nerviosa creada por los acontecimientos.

Emilia llamó a Elisa, pero no apareció. Entonces, hizo venir a otro sirviente, el negro Andy, a quien rogó buscara a la muchacha. El negro salió y regresó, a poco, con el rostro asustado.

—Todas las ropas de Elisa están por el suelo —explicó—. Y no hay ni rastro de ella ni del niño. Supongo que... han huído.

Los esposos se miraron, convencidos de que aquello era cierto.

—Se ha dado cuenta del peligro y ha escapado con su hijo —meditó el señor Shelby, disgustado.

— ¡Bendito sea Dios! —exclamó la dama, con mirada esperanzada—. ¡Que consigan salvarse!

—¿Qué dices? —gruñó él—. Haley va a pensar que todo es obra mía y que he querido engañarle. ¡Mi palabra estaba empeñada en ello!

Los demás negros de la casa recibieron la noticia como una buena nueva, alegrándose de la valentía de Elisa por haber sabido librarse de las garras del negrero Haley, al que todos odiaban. El cual no tardó en presentarse a reclamar su mercancía, y grande fue su furor al conocer lo sucedido.

— ¡Verá esa esclava cuando la atrape! —rugió, dirigiéndose al encuentro del señor Shelby, al que apostrofó nada más verle—: Le parecerá correcto el que esa negra se haya llevado al pequeño, supongo.

—Seguramente Elisa conoció de algún modo que no me explico lo que pretendíamos... y ha hecho lo natural en una madre —dijo el señor Shelby.

—Siempre sospeché que iba a salir engañado —murmuró ofensivamente Haley.

—¿Qué es lo que usted insinúa? —preguntó vivamente el dueño de la casa, en un tono que hizo que Haley dulcificara su actitud.

—Me refiero —dijo—, a que los negros saben hacer muy bien las cosas; son muy ladinos.

—No admito que se dude de mi palabra. Y, para demostrarle que he obrado rectamente, estoy dispuesto a colaborar en la búsqueda de esa mujer con criados y caballos.

Y ordenó a su sirviente Samuel trajera los caballos "Bill" y "Jerry" para salir inmediatamente en persecución de la fugitiva.

Pero Samuel conocía perfectamente la situación; sabía que su amita, la señora Shelby, deseaba que jamás fuera capturada Elisa, pues su compañero Andy le acababa de revelar el sentido de la exclamación de alegría de la dama cuando él le notificó lo de la huída. Por lo tanto, debería poner todos los impedimentos para que el proyecto fracasara.

Sí, llevó los caballos requeridos al señor Shelby, pero luego, al pasar ante la montura de Haley, se le ocurrió una estratagema que favorecía sus intenciones.

En las proximidades había una haya llena de hayucos espinosos. Samuel recogió uno y se acercó al caballo y, simulando que iba a apretar la cincha de la silla, introdujo el hayuco entre la correa y los ijares de la bestia, de modo que en cuanto ésta se pusiera en movimiento, los pinchos penetraran en su carne y lo encabritaran.

Seguidamente, Samuel se acercó a la casa, pues la señora Shelby le acababa de decir desde la galería:

—Procura que los caballos no se cansen demasiado.

—Descuida, amita, que viajarán a mi lado muy descansados —sonrió el astuto negro.

En aquel momento Haley se dirigió resueltamente hacia su caballo. Pero, al montar sobre él, el animal se encabritó y arrojó a su dueño al suelo, saliendo al galope hacia la pradera vecina. Momentos después, le seguían "Bill" y "Jerry", contagiados de su locura.

Los negros salieron en su busca y, tras ímprobos esfuerzos (más fingidos que reales), regresaron con los corceles. Samuel montaba a "Jerry" y traía de la rienda al caballo de Haley, quien se adelantó lanzando terribles imprecaciones ordenando ponerse en marcha al momento.

Pero allí se hallaba Samuel dispuesto a agotar todos los recursos que tendieran a retrasar la partida.

—Estamos muy cansados, mi amo —dijo al señor Shelby, con un semblante tan acongojado que inspiraba lástima—. Y los caballos se hallaban destrozados. Sería conveniente que todos comiéramos antes de salir. Y al caballo del señor Haley hay que abrigarlo, pues ha sudado mucho y puede enfermar. Además, mi amo, tenga en cuenta que Elisa no ha podido alejarse demasiado. Nunca se ha destacado por su velocidad...

La señora Shelby intervino para ayudar a Samuel.

—Le ruego, señor Haley, que se quede a comer con nosotros. En este momento va a ser servida la mesa. Con las fuerzas repuestas, podrán comenzar la persecución en mejores condiciones que ahora.

Haley meditó. Indudablemente, tenían que comer en un sitio u otro. ¿Por qué no hacerlo allí mismo, donde se hallarían más cómodamente?

—Acepto su amable invitación, señora —dijo.

La señora Shelby disimuló la inmensa satisfacción que sintió, y Samuel y Andy se miraron alegremente pensando en los deliciosos bocados que su amita haría preparar para ellos.

* * *

Entre tanto, Elisa corría solitaria con su hijo apretado contra su cuerpo. Terrible prueba resultó para ella abandonar la cabaña de Tom y lanzarse hacia lo desconocido, pero su amor por su Enriquito la impulsó a arrostrar todos los riesgos.

Caminó mucho tiempo todavía por terreno conocido, ya que aquellos lugares los había recorrido con su ama en diversas ocasiones, cuando se trasladaban a la vecina aldea de T., en las proximidades de Ohío. Lo espantoso vendría después, cuando cruzara el río y llegara a regiones nuevas.

Después de varias horas de marcha ininterrumpida, Elisa se detuvo en una granja, donde la recibieron cordialmente. Ella explicó su presencia diciendo que viajaba para visitar a unos parientes.

Reanudó la marcha a primera hora de la tarde, y no se detuvo hasta el anochecer, ya en la aldea de T. El río se deslizaba tumultuoso, pero debería franquearlo si quería salvarse. Apenas había comenzado la primavera y enormes masas de amenazadores hielos flotaban en la impetuosa corriente. El espectáculo dejó a Elisa desconcertada, pues había pensado emplear la barca para alcanzar la opuesta ribera. Pero, ofreciendo el río tal aspecto, era presumible que ningún barquero se atreviera a arriesgarse a cruzarlo.

Muy apesadumbrada, mirando siempre hacia atrás, temiendo ver aparecer de un momento a otro a sus

perseguidores, se dirigió a una casa próxima, a cuya dueña, que estaba condimentando la cena, preguntó:

—¿No hay ninguna barca que cruce el río en este punto?

—Nadie se atrevería a hacerlo estando la corriente tan alborotada —le informó la mujer, quien, al reparar en el fatigado aspecto de Elisa y, sobre todo, en el evidente nerviosismo que mostraba, añadió—: ¿Se encuentra en algún apuro?

—Un hijo mío está muy enfermo y necesito cruzar el río pronto —dijo Elisa, después de realizar un gran esfuerzo para mentir.

Compadecida, la mujer le informó que un hombre se proponía cruzar el río con unos toneles y que, por tanto, le aconsejaba que esperase a intentar con él la aventura. Después, entregó a Enriquito un pastel. Pero el niño no lo recogió, pues el sueño debido al gran cansancio que padecía le impedía incluso alzar el brazo.

—Pase con el chiquillo y déjele que duerma —invitó la buena mujer.

Y, al mismo tiempo, los guió hasta un cuarto en el que había una cama, donde Elisa acostó a Enriquito, quien no tardó en quedar dormido. Elisa, a su lado, velaba su sueño.

Cerca de una hora permanecieron allí, hasta que un grito del exterior obligó a la madre a asomarse a un ventanuco y descubrir con horror a Haley seguido de los negros Samuel y Andy. Los tres se encaminaban directamente hacia la entrada de la casa.

Elisa retrocedió de la ventana y, sin perder un solo momento, cogió en sus brazos a su hijo y se lanzó escaleras abajo, saliendo de la morada poco antes de que Haley llegara a ella. El traficante la vio cruzar ante él como un rayo, y el mismo asombro le retuvo por unos momentos en el sitio, los suficientes para que Elisa alcanzara la orilla del río. La desgraciada lloraba de desesperación al comprender que era una verdadera locura intentar la travesía. Pero el peligro era inminente. Haley corría ya hacia ella. Murmurando una oración y encomendándose a Dios, tomó impulso y se abalanzó sobre la formidable corriente, cayendo sobre una de las superficies del hielo. El salto fue impresionante, y tanto Haley como Andy y Samuel lanzaron exclamaciones de asombro. Y desde su orilla, contemplaron llenos de estupor la escena que siguió: Elisa saltaba de un trozo de hielo al siguiente, con la agilidad que le daba su propia locura de madre amenazada, resbalando frecuentemente y cayendo, pero levantándose al punto y prosiguiendo la salvadora carrera. Su débil silueta sobre el tormentoso río podía haber servido de modelo para un tema heroico. Todos advirtieron que las fuerzas empezaban a faltarle. Ya había salvado más de la mitad de la distancia, cuando cayó y permaneció inclinada, mientras el témpano que la sostenía se deslizaba corriente abajo. Con un desesperado esfuerzo, la infortunada se levantó nuevamente y pasó a la próxima superficie blanca. Y cuando la misma Elisa comprendió que sus energías le abandonaban por completo, sintió que una mano le sujetaba de un brazo y la alzaba a la otra orilla.

—¡Señor Symmes! —exclamó al reconocerle.

Se trataba de un hombre que vivía en una granja cercana a la mansión de los Shelby.

—¡Oh, sálveme, señor Symmes! —suplicó Elisa, arrodillada ante él—. ¡Quieren arrebatarme a mi hijo! ¡Lo han vendido a aquel hombre que me mira desde la otra orilla! ¿Me va a socorrer?

Symmes poseía un buen corazón y no pudo negarse a ayudar a aquella esclava fugitiva, a pesar de lo que señalaban las leyes, que castigaban severamente aquel acto. Así, pues, alzó a la esclava, caminó con ella unos pasos y luego le dijo:

—Mi casa queda lejos, como sabes, y no puedo ocultarte en ella. Lo único que me es dado hacer por ti es indicarte dónde te puedes esconder. ¿Ves aquella casa? Llama a su puerta y sus dueños te recogerán, sin asombrarse de lo que les cuentes, pues estas cosas no son extrañas para ellos.

Elisa le dio las gracias, muy conmovida, y tomando nuevamente a su hijo salió corriendo hacia el cobijo prometido.

Mientras tanto, Haley seguía en la orilla del río, sin apenas dar crédito a lo que sus ojos habían contemplado. A su lado, Andy y Samuel ocultaban a duras penas la alegría que les produjera el feliz paso del río por Elisa.

—Esa negra ha hecho un pacto con el demonio —gruñó Haley.

—O con un ángel, señor, vamos a pedirle permiso para retroceder. Nuestra ama se disgustará si sabe que hemos obligado a los caballos a sostener esta agotadora carrera. Los pobres animales no pueden más.

Haley pareció acceder a ello, momento en que los dos negros, al ver que todo su plan había salido a la perfección (ellos fueron los que consiguieron retrasar la persecución valiéndose de mil argucias), estallaron en sonoras carcajadas, que irritaron grandemente al ya enfurecido Haley.

—Veremos si os hace reír el aire de mi látigo —rugió, al tiempo que lo alzaba dispuesto a descargarlo sobre las espaldas de los dos negros, quienes, ágilmente, saltaron sobre sus caballos y se alejaron velozmente despidiéndose del traficante con estas palabras:

—¡Buenas noches, señor! Nuestra ama nos tiene ordenado que no pasemos la noche fuera de casa.

Y allí dejaron a Haley furioso por su fracaso.

El negrero se daba a todos los diablos y maldecía la hora en que se había mostrado blando con Shelby, blandura que tantas complicaciones le estaba acarreando.

* * *

Dominado por negros pensamientos, el traficante regresó a la casa de donde saliera Elisa, que era una posada, y se sentó sobre un banco a meditar sobre todo lo sucedido.

—Por culpa de ese chicuelo, por el que apenas hubiera conseguido ganancia —se dijo—, he pasado por el comerciante más imbécil del distrito.

Sus tristes reflexiones fueron interrumpidas por las voces de un viajero que acababa de desmontar de su caballo ante la posada. Creyendo reconocerlas, Haley se acercó a la ventana.

—Bien, es posible que ahora se me arreglen las cosas, pues, si no me equivoco, ahí llega mi amigo Tomás Loker.

Momentos después entraba en la casa el hombre que se había detenido delante de aquella puerta: era casi un gigante con su metro ochenta de estatura y su corpulencia en consonancia con ella. Su rostro era desagradable, duro y basto, como el de un perro. Se cubría con una chaqueta de piel de búfalo, que le otorgaba una apariencia de bestia selvática.

Venía con él un sujeto menudo de rostro pálido, que se movía con la agilidad de un felino. Su mirada era dura y el rictus de su boca cruel.

El primero se dirigió al mostrador, pidió que le sirvieran un gran vaso de aguardiente, que bebió de un solo trago.

—¿Qué vientos te traen por estos lugares, Loker? —preguntóle Haley, yendo a su lado.

—Lo mismo te pregunto, Haley —tronó el hombrón, sonriendo.

A un lado, el sujeto enfermizo observaba a Haley atentamente.

—Sospecho que este encuentro va a reportar algún beneficio —dijo Haley—. Has de saber que me hallo en un buen apuro.

Loker juzgó oportuno presentar al hombre que le acompañaba.

—Este es mi socio Marks... Marks, aquí tienes al hombre con el que negocié anteriormente.

—Me alegra haberle conocido —dijo el hombrecillo, y Haley, al estrechar su mano, experimentó la sensación de que agarraba la pata de un aguilucho—. Creo que usted es el señor Haley.

—Ha acertado. Si les parece, señores, podemos pasar al comedor; deseo hablarles de cierto negocio.

Haley ordenó al posadero que les sirviera aguardiente del mejor, cigarros, agua caliente y azúcar, y que encendiera la chimenea. Una vez bien acomodados, Haley refirió a sus amigos todas sus últimas desventuras.

—¿Va a capturar a esa muchacha, Haley?

—Sólo me interesa el chico —contestó Haley.

—¿Cómo es la madre? —quiso saber Marks.

—Joven, inteligente y bien enseñada. No me habría costado nada dar por ella ochocientos o mil pesos.

Los ojillos de Marks brillaron codiciosos.

—Ya está decidido, Loker —dijo—. Saldremos en su busca, cogemos a la muchacha y a su hijo, entregamos éste a Haley y nosotros vendemos la negra en Nueva Orleans.

Loker sonrió maliciosamente.

—A mí ya no se me engaña tan fácilmente —dijo—. Dame cincuenta pesos, por si la caza fracasa. En otro caso, no verás al niño.

Haley, de mala gana, hubo de conformarse.

—Conforme —dijo con una mueca.

* * *

El senador Bird acababa de llegar a su casa y, ante el reconfortante calor que se desprendía de la chimenea, se disponía a despojarse de las pesadas botas de viaje y calzarse las zapatillas. Mientras tanto, la señora Bird se ocupaba en preparar la cena y amonestar a sus hijos, empeñados en alterar por todos los medios la paz del hogar.

—No te esperábamos hoy —dijo la señora Bird a su esposo aprovechando un instante que le dejaron libre los quehaceres.

—Tenía necesidad de descansar en mi casa —declaró el senador—. ¡No te puedes imaginar lo desesperantes que son los debates del senado!

—¿Qué es lo que se está tratando ahora? —preguntó la esposa, ante el asombro del senador, pues jamás se había interesado por lo que se discutía en la Cámara.

—Bah, nada que merezca la pena —murmuró el señor Bird, evasivo.

Pero ella insistió.

—Se corren rumores que se ha votado una ley por la que se prohibe ayudar a los esclavos que atraviesen esta región. Si esto es así, pienso que sus promotores no han tenido en cuenta lo que nuestra religión nos ordena a este respecto.

—¿Desde cuándo te interesas por la política? —preguntó sonriendo el senador.

—No te burles de mí. La política no me interesa en absoluto. Pero sí lo que se refiera a esa ley, que supongo no habrá sido aprobada.

—Pues te equivocas. Precisamente, desde este mismo momento, no se podrá dar asilo ni apoyo de ninguna clase a los esclavos que elijan estos lugares para huir de sus amos. Los habitantes de Kentucky ya no podrán favorecer esas fugas de negros.

La señora Bird quedó unos momentos pensativa.

—Espero que no se me obligará a despachar de mi puerta a la persona que acuda a ella en demanda de la más pequeña ayuda. Te aseguro, y tú lo sabes, que no me podría negar jamás a dar de comer a un desgraciado que lo solicite ni dejar de vestir a quien lo necesitara.

—¿Y pretendes que eso no es protegerles? —exclamó el senador—. Contravendrías la ley.

La señora Bird era pequeña y de aspecto delicado. Le atemorizaban muchas cosas, pero reaccionaba fogosamente ante las injusticias. Pocas veces había discutido con su esposo, por eso ahora se le encendió el rostro al acercarse a él y preguntarle con firmeza:

—¿Consideras cristiana esa ley?

—Espero que no te disgustes si te digo que sí.

—¡Casi me obligas a que me avergüence de ti, Juan! Supongo, al menos, que tu voto habrá sido negativo.

—No, mujer: yo he sido de los que han traído esa ley.

La señora Bird se tornó súbitamente pálida, pero no tardó en recobrarse y exclamar:

—¡Es vergonzoso lo que habéis hecho! ¡Prohibir que gente de bien atienda a esos desgraciados que sólo intentan conseguir su libertad!

—La situación política por la que atravesamos nos exige que...

—Sólo obedezco a la Biblia, que nos dice que debemos alimentar al hambriento, vestir al desnudo y consolar al desamparado.

—Si muchos siguen tu actitud pueden sobrevenir grandes calamidades —arguyó el senador.

—Jamás ha sucedido tal cosa cuando se ha cumplido la palabra de Dios —protestó vivamente su esposa—. ¿Se ha endurecido tanto tu corazón que cerrarías la puerta de tu casa a un semejante que te pidiera de comer sólo porque se trate de un esclavo fugitivo?

El senador Bird se volvió a medias para disimular su zozobra, y empezó a limpiar los cristales de sus gafas. Su esposa, que lo conocía bien, adivinó que le había rozado la fibra tierna que poseía. En realidad, el hombre siempre se distinguió por sus bondades.

—No, no lo harías —agregó ella.

—Por mucho que lo sintiera, no podría hacer otra cosa que cumplir con mi obligación.

—Si los esclavos fueran tratados como personas, no se decidirían a escapar exponiéndose a infinitos peligros. Nadie debe reprocharles lo que hacen. Escucha, Juan: esta ley no es justa y tanto tú como yo no la cumpliremos.

Fue el señor Bird a responder, cuando apareció

el mayordomo negro Cudjoe y susurró a su señora:

—¿Puede venir un momento a la cocina?

El senador Bird suspiró tranquilizado por la paz que le traía la interrupción y se acomodó en su butaca predilecta, mientras su esposa salía.

Instantes después, la voz de la dama sonó desde la cocina:

—¡Juan! ¡Date prisa! ¡Ven!

Abandonó al punto el senador su sillón y corrió a la cocina, donde contempló algo que le dejó estupefacto. Tendida sobre dos sillas vio a una muchacha negra de gran belleza, a la que atendían solícitas la señora Bird y tía Dinah, la criada negra, intentando que recobrara el conocimiento. El señor Bird quedó conmovido al observar el pálido y demacrado rostro de la postrada, así como sus ropas deshechas. Junto a ella se encontraba un niño de color, al que el mayordomo había despojado de sus medias y zapatos y calentaba sus piececitos en agua bien templada.

—Me rogó que le dejara calentarse un rato —explicó quedamente Cudjoe—. Y, en cuanto entró, se desmayó.

Momentos después abría los ojos la muchacha, y lo primero que dijo, después de mirar a todos, fue:

—¿Dónde está mi hijo?

El chiquillo, al oír su voz, se apartó del mayordomo y corrió hacia su madre, a la que abrazó fuertemente.

—¡Enrique mío! —exclamó la negra, nerviosamente.

Luego se volvió a la señora Bird y agregó asustada:

—¡Oh, señora! ¡Ayúdenos! ¡No deje que nos capturen!

—Tranquilícese —le dijo la dama, bondadosamente—. Aquí se encuentra segura.

—Dios se lo pague —dijo la muchacha, y se cubrió el rostro con sus manos y empezó a sollozar.

La señora Bird ordenó que les preparasen una cama

junto al fuego, en la que no tardaron en quedar dormidos la madre y el niño. El matrimonio Bird regresó al salón, en el que permaneció unos momentos sin hablar palabra, la dama haciendo calceta y el senador enfrascado en la lectura de un periódico.

Al fin, el señor Bird dijo:

—Me gustaría saber quién es esa muchacha.

—Se lo preguntaremos cuando despierte —indicó la señora.

Tras una leve pausa, él habló otra vez:

—María, creo que a esa chica le sentaría bastante bien uno de tus vestidos, a poco que lo arreglaras.

La dama sonrió satisfecha. Esperaba eso de su esposo.

—Veré lo que puedo hacer —dijo.

La conversación continuó en este mismo tono de suave y mutuo entendimiento, hasta que llegó la sirvienta y anunció que la muchacha acababa de despertar. Los esposos Bird se dirigieron rápidamente a la cocina, acompañados de sus dos hijos mayores.

Hallaron a la negra sentada en una banqueta y contemplando pensativamente el fuego. Al ver a la señora Bird se leyó en sus ojos una aterrorizada súplica.

—No tema nada de nosotros —le dijo la dama sonriendo bondadosamente—. ¿Quiere decirnos de dónde ha venido y cuál es su problema?

—Vengo de Kentucky —declaró la muchacha, pasando a continuación a referirles todas sus desventuras. El relato del cruce del río les llenó de admiración, aumentando, si cabe, la compasión que sentían por ella.

—A pesar de que he tenido que huir de ellos, mis amos son buenos. Sólo que el señor Shelby se ha visto obligado a vender a mi hijo a causa de sus muchas deudas.

Las lágrimas se desprendieron de los ojos de los

que la escuchaban, y el mismo señor Bird estaba a punto de verterlas.

—¿Adónde piensa ir usted? —le preguntó.

—Al Canadá, a reunirme con mi marido. El ya ha salido para ese país... pero apenas tengo esperanzas de volverle a ver. ¿A qué distancia se encuentra de nosotros el Canadá?

—A mucha, quizá demasiada. Pero ahora no se preocupe de más. Dinah le preparará una cama en su habitación. Necesita descanso. Confíe en Dios.

El señor y la señora Bird regresaron al salón, sentándose ésta en el sillón que ocupara anteriormente, mientras su esposo medía a largos pasos la habitación.

—¡Sólo me faltaba esto para que mis nervios saltasen! —exclamó sordamente el senador—. Esa mujer debe abandonar nuestra casa cuanto antes. Los que siguen sus huellas se presentarán mañana, ¡y resultaría muy gracioso que la encontrasen en casa del hombre que ha votado una ley contra los esclavos fugitivos!

—¿Y de qué forma la vas a sacar de aquí? —preguntó alarmada la señora Bird.

—Ya me las arreglaré.

El senador comenzó a calzarse sus botas.

—Ahora que recuerdo... —dijo, súbitamente—, sé de un viejo conocido, llamado Van Trompen, que ha llegado de Kentucky tras haber dejado libres a todos sus esclavos. Ha adquirido una extensión de terreno en un lugar apartado de los bosques. Esta muchacha podría hallar en su casa un excelente cobijo. Yo mismo la conduciría en coche hasta allí.

Y añadió sonriendo entre divertido y molesto:

—¡El senador Bird amparando esclavos y fugitivos!

La señora Bird no pudo ocultar su entusiasmo.

—¡Cuánto te quiero, Juan!

Aún antes de salir, el senador señaló a su esposa

una cómoda, indicándole que podía entregar al hijo de la esclava algo de lo que contenía. Era el lugar donde guardaban cuidadosamente los juguetes de un hijo que se les murió. Y la dama, muy emocionada, abrió la cómoda y eligió los juguetes y ropas más nuevos que halló en ella, haciendo con todo un paquete. Después, se sentó con varios vestidos suyos sobre su regazo, dispuesta a arreglar uno para la pobre esclava.

Un par de horas después, el coche esperaba a la muchacha en el patio. La señora Bird había metido en una maleta lo que preparó para ella, rogando a su esposo, ya en el pescante, que la colocase en el coche.

Afortunadamente, no sufrieron ningún contratiempo y llegaron, muy avanzada la noche, ante la puerta de una finca. Descendió Bird del carruaje y llamó a su puerta, que tardó en abrirse más de lo deseado, pero, al fin, surgió en el umbral un hombretón de imponente estatura y muy peludo, con un chaquetón rojo. Sobre su cabeza ondeaba una tupida cabellera rizada, que le daba un singular aspecto aleonado.

—¿Cómo está, Van Trompen? —saludó el senador—. Soy Bird. ¿Está dispuesto a ocultar en su casa a una mujer y su hijo negros que huyen de su amo?

—Naturalmente que sí —contestó prontamente el gigante, con voz de trueno.

Era Juan Van Trompen un hombre de corazón de oro, que en pasados años poseyó en el Estado de Kentucky muchos esclavos, a los que, un buen día, condujo a unas tierras del Estado libre de Ohío, que acababa de adquirir, para que trabajasen en ellas como hombres libres. El se retiró a su hacienda, alejado de los negocios mundanos, para dedicarse a la meditación. El senador Bird no habría encontrado un personaje más adecuado para lo que pedía.

—Y no me importa cobijar en mi casa a más ne-

gros de los que usted me trae —aseguró Van Trompen, con gesto enérgico—. Viven conmigo seis hijos que no se asustan por pelear para defender una causa justa. Los negros quedarán bien seguros con nosotros.

Elisa bajó del carruaje y fue conducida por Van Trompen hasta el interior de la casa, siendo instalada en una pequeña habitación que comunicaba con la cocina. El dueño estudió su rostro y movió la cabeza.

—Ya no debe preocuparse por nada —dijo a Elisa—.

No existe hombre tan loco que se atreva a intentar sacar de esta casa a un huésped mío. Duerma, hija mía.

La dejó con su Enriquito dormido en sus brazos y salió, reuniéndose con Bird, quien le refirió con detalle toda la historia de la muchacha.

— ¡Si de mí dependiera el destino de esos traficantes sanguinarios...! —bramó Van Trompen, cuando el senador concluyó.

Bird depositó en su mano diez pesos, diciéndole:

—Entrégueselos a ella.

—Así lo haré —aseguró el gigante.

A continuación se estrecharon las manos y el senador Bird partió en su coche.

Capítulo IV

UN NUEVO AMO PARA TOM

Tristes pensamientos dominaban a los habitantes de la cabaña del tío Tom. Su esposa, Clotilde, trataba de contener su dolor mientras planchaba cuidadosamente una blanca camisa que llevaría el que estaba a punto de abandonar aquella casa, acaso para siempre. De vez en cuando, secaba con su delantal una lágrima.

Tom no se hallaba menos emocionado. Sentado en una banqueta, con el Nuevo Testamento sobre sus rodillas, esforzábase porque nadie advirtiera que el dolor traspasaba su pecho. Hacía mucho rato que ni él ni ella pronunciaban palabra.

De pronto, Tom se levantó y se dirigió hacia la modesta cama donde aún dormían sus hijos.

—Ya jamás los volveré a ver así —pensó.

Tía Clotilde acabó el planchado y se le acercó.

—Todo es inútil y debemos resignarnos —dijo, quedamente—. ¡Pero si, por lo menos, súpiera a dónde te llevan! El ama nos ha asegurado que te rescatará dentro de un año o, a lo sumo, dos. ¿Qué habrá sido de ti para entonces? Todos sabemos cómo maltratan a los esclavos en las plantaciones del Sur.

—Confiemos en Dios —aconsejóle Tom.

— ¡Nuestro amo no debió hacerte esto nunca! —protestó tía Clotilde—. Iba a concederte la libertad y has sido su esclavo más fiel. ¿Y es así como te lo paga?

¡Cuántas veces, en aquellas últimas horas, se había hecho Tom las mismas consideraciones! Pero no era su deseo confiar a tía Clotilde toda la angustia de su alma. Prefirió que creyera en su paciente conformidad.

El pobre negro amaba profundamente la tierra en que vivía, como todos los de su raza, y siempre había pensado que el mayor mal que le podía sobrevenir era ser vendido a los blancos del Sur. El Sur era considerado como tierra endemoniada, y todo lo habría sufrido con tal de verse alejado de ella.

Tía Clotilde se afanó por obsequiar a su esposo con la mejor comida de despedida. La señora Shelby la había eximido de todo trabajo en la casa, y de este modo se pudo dedicar por entero a alegrar las últimas horas de Tom en la cabaña. El mejor de los pollos del corral había sido sacrificado, y las tortas de harina las preparaba con gran mimo y gusto del esposo.

Los chiquillos también se sentaron a la mesa con ellos, y comieron con apetito de lobos, aunque, al concluir, se sintieron dominados por la tragedia que leían en los semblantes de sus padres, y estallaron en lloros. Tía Clotilde y Tom no probaron bocado.

Cuando menos lo esperaban, llegó la señora Shelby. Entró en la cabaña y, al ver a Tom, se llevó un pañuelo al rostro y comenzó a sollozar. Tía Clotilde, que la había estado contemplando con el ceño fruncido, se ablandó también y unió sus lágrimas a las de ella.

—¡No llore así, señora, por favor, no llore! —exclamó, aunque sólo consiguió que todos acabasen llorando en la cabaña.

—Hoy no puedo ayudarte, Tom —dijo a poco, la señora Shelby—. Pero te prometo que no tardaré en encontrarte y rescatarte.

Los chiquillos entraron en la cabaña gritando con visible angustia:

—¡Viene el señor Haley!

Instantes después una patada descargada sobre la puerta anunció su presencia. El negrero, a causa del fracaso de su plan y de las incomodidades sufridas la noche anterior, estaba de un humor espantoso.

—Vamos... ¿estás listo? —preguntó bruscamente.

Al descubrir a la señora Shelby se quitó el sombrero y saludó más elegantemente.

—A los pies de usted, señora.

Tía Clotilde cerró la maleta y se la entregó a Tom, quien la cargó sobre sus hombros y se dispuso a seguir a su nuevo amo. Los demás esclavos de los Shelby esperaban en el exterior para despedir a su querido compañero, y el verdadero sentido de aquella tragedia lo alcanzaron cuando Haley, después de que Tom hubo subido al carruaje que le iba a llevar, sacó de debajo del asiento dos toscas cadenas y ató con ellas los tobillos del pobre Tom.

—Esa medida es innecesaria con este hombre —apuntó la señora Shelby.

—Quizá tenga usted razón, señora —dijo Haley—, pero ya he perdido un esclavo de quinientos pesos y no quiero exponerme a un nuevo fracaso.

Al ver a su esposo encadenado, tía Clotilde se cubrió con las manos el rostro, como si quisiera ocultar aquella terrible escena, y las lágrimas corrieron pronto por entre sus dedos.

—Siento mucho que el señorito Jorge no esté aquí —declaró Tom, suavemente.

El muchacho aquella misma mañana, había salido para visitar una plantación vecina, ya que ignoraba lo que iban a hacer a su buen Tom. Al tiempo que Haley fustigaba al caballo, el esclavo miró lastimeramente a su esposa y rogó:

—Despídete de mi parte del señorito Jorge.

Tía Clotilde asintió nerviosamente con la cabeza, mientras el carruaje que se llevaba a su Tom se alejaba levantando densas nubes de polvo. No tardó en alcanzar el límite de las posesiones de los Shelby y salir al camino real, por el que siguieron algún tiempo, hasta que Haley lo detuvo ante el taller de un herrero, pues deseaba arreglar unas esposas de repuesto que guardaba para casos de urgencia.

Descendió del coche y Tom quedó solo. De pronto, se oyó el galope de un caballo y, momentos después, el esclavo tenía ante él al señorito Jorge, quien abrazó conmovido al negro, al mismo tiempo que exclamaba:

—¡Lo que han hecho contigo es la mayor de las injusticias! ¡Mi padre se ha portado como un villano!

—¡Qué alegría me da verle, señorito Jorge! —dijo Tom—. Lamentaba tanto no despedirme de usted...

Al descubrir las cadenas, Jorge experimentó una gran indignación.

—¡Yo me las entenderé con ese traficante! —murmuró airado.

—Por favor, señorito Jorge —intervino prontamente Tom—, no haga ni diga nada. Sólo conseguiría enfurecerle y que luego me tratara peor.

Jorge inclinó la cabeza, reconociendo la verdad que encerraban sus palabras.

—Yo no he sabido nada hasta hace un momento —murmuró—. ¡Ya me han tenido que oír en casa!

Y agregó quedamente, como en secreto:

—Voy a entregarle mi peso.

—No debe usted hacer eso —dijo Tom, emocionado.

—Clotilde ya está de acuerdo —siguió el muchacho—. Me ha aconsejado que le haga un agujero y se lo cuelgue del cuello con una cinta, y de ese modo puede ocultarlo bajo la camisa. De lo contrario, ese hombre se lo arrebataría... Te prometo, Tom, que convenceré a mi padre para que te rescate cuanto antes. Yo mismo empezaré a trabajar para conseguir el dinero suficiente.

—Su padre es bueno y no debe importunarle —dijo Tom—. Y usted ha de quererle mucho, así como a su madre, pues ambos son los más bondadosos. Comprenda que no han tenido más remedio que hacer esto... ¿Va a ser bueno con ellos, amito?

—Sí, Tom —aseguró Jorge.

Salió entonces Haley del taller y, al verle, el joven Shelby le dijo duramente:

—Le advierto, caballero, que sabremos cómo trata usted a Tom.

—Sus palabras no me afectan en lo más mínimo —replicó despectivamente el negrero.

—Si tuviera usted corazón se rebelaría ante la idea de comerciar con seres humanos y cargarlos de cadenas.

—Es un negocio como otro cualquiera, en el que pienso continuar mientras rinda beneficios. Por otra parte, me parece que no es más pecado vender negros que comprarlos.

—Jamás haré yo ni una cosa ni otra —aseguró Jorge—. Y si antes estuve orgulloso de pertenecer al Estado de Kentucky, ahora lo lamento.

Al concluir de hablar, montó en su caballo y se volvió a Tom antes de partir.

—Adiós, querido amigo. ¡Ten ánimo! —le deseó.

—Gracias, amito, gracias —musitó el esclavo—. Adiós, que el Señor guíe sus pasos.

Contempló con el corazón encogido cómo se alejaba su amigo, sabiendo que con él desaparecía el último contacto con el mundo que tanto amaba. Tan sólo le quedó de él aquella monedita que descansaba sobre su pecho, a la que, en un impulso involuntario, apretó contra su cuerpo.

Haley se aproximó al carruaje y así le dijo a Tom:

—Escucha: de ti depende el que todo siga bien entre nosotros. Siempre acostumbro hacer esta recomendación a mis esclavos. Si tratas de huir, lo pagarás. Seré bueno contigo si tú me obedeces en todo.

Tom contestó que no tenía intención de escapar. Además, ¿cómo lo haría estando encadenado?

* * *

Muy satisfecho proseguía Haley el viaje llevando a Tom, no solamente por pensar en todo el dinero que iba a obtener de un esclavo tan sano y vigoroso, sino también por creerse muy humanitario al haberse limitado a encadenar a Tom solamente de los tobillos. "Otros le habrían cargado de cadenas el cuello y las manos", consideró.

Por su parte, el pobre Tom continuaba resignado, repitiendo mentalmente aquellas palabras que solía leer en alguno de sus libros religiosos: "Lo que nos suceda en este mundo carece de importancia; sólo nos debe preocupar el paso a la otra vida".

Por el camino, Haley se enteró de que en Washington, Kentucky, iban a subastar unos esclavos, y hacia aquel punto se dirigió.

Llegados a Washington, Haley encerró a Tom en la cárcel y él se alojó en una posada. El esclavo experimentó un gran dolor cuando fue abandonado en la celda, él que se consideraba tan honrado como el que más.

A la mañana siguiente se reunió una gran muchedumbre ante la puerta del tribunal de Justicia para asistir a la anunciada subasta. Eran varios los negros que iban a ser vendidos, y entre ellos se encontraba una anciana con su hijo de catorce años. Permanecían abrazados, como si presintieran que no tardarían en ser separados.

—No soy un trasto inútil —repetía angustiosamente la negra—. Puedo todavía barrer, cocinar y fregar... Mi hijo y yo podemos ser vendidos en un lote.

En esto apareció Haley y se dirigió resueltamente hacia el grupo de negros, deteniéndose ante un esclavo, al que examinó detenidamente los dientes, el pecho y los músculos del brazo. Después pasó al muchacho que seguía abrazado a la anciana, y lo estudió igualmente, obligándole, además, a dar algunos saltos para apreciar su agilidad.

—Hemos de ser vendidos juntos —le dijo con angustia la pobre anciana—. Todavía soy capaz de hacer muchas cosas.

—Tú ya no podrías rendir en una plantación —replicó despectivamente Haley.

El resultado de su examen había sido satisfactorio, por lo que permaneció allí mismo aguardando el momento de la subasta.

Por fin, ésta comenzó: dos de los negros jóvenes fueron adquiridos por Haley. Ahora correspondía el turno al muchacho que seguía junto a la anciana negra.

—Ponte de pie y salta para que te vean los señores —le ordenó el pregonero rudamente.

Y, al mismo tiempo, le empujó y lo apartó de su madre, la cual se revolvió como una fiera.

—¡No nos pueden separar! —gritó llena de pavor.

—No molestes —dijo el pregonero, retirándola.

El muchacho ofrecía una excelente estampa y los postores se lo disputaron, pero fue Haley quien pujó más alto. El chico se dirigió corriendo hacia su madre.

—Cómpreme a mí también, señor —suplicó ésta a Haley—. No podré resistir la separación.

—Tú no me sirves —le dijo el traficante.

Fue otro blanco el que adquirió a la anciana, más por compasión que por otro motivo. Y mientras era arrastrada por su nuevo dueño lejos de allí, el muchacho de catorce años, ya encadenado por Haley, iba en pos de su amo, volviendo incesantemente la cabeza para descubrir a su madre guiándose por los gritos que la desgraciada emitía desesperadamente.

Días después, Haley, con Tom y los demás esclavos, embarcaba en uno de los barcos que hacían la travesía del Ohío. El traficante obsequió a sus prisioneros con el consabido discurso acerca de lo bien que serían tratados si no intentaban engañarle. Tom sufría en silencio al ver a aquellos desgraciados condenados a su misma suerte; los comprendía perfectamente, pues sabía que todos dejaban atrás hijos, esposas, hermanos o madres. Como él mismo.

* * *

Recordarán nuestros lectores que Elisa y su hijo habían quedado recogidos en la casa de Van Trompen. De ella fueron llevados a la de una excelente familia de cuáqueros, cuya cabeza era Simeón Halliday.

Elisa se sentía muy feliz al ver a Enriquito jugar tranquilamente, lejos de todo peligro, en el enorme salón de la mansión. Los miembros de la familia eran sumamente bondadosos, y la muchacha fugitiva creía estar viviendo en un mundo de ensueño. Sin embargo, aún le reservaban una alegría mayor. Fue la anciana Raquel quien le comunicó la buena nueva...

—Hija mía —le dijo con su sonrisa angelical—: sabemos que tu marido se encuentra con unos amigos y va a venir aquí esta noche.

—¿Esta noche? —repitió como en sueños Elisa, incapaz de poderlo creer. La anciana la miraba sonriendo amablemente y moviendo afirmativamente la cabeza.

Desde aquel momento, Elisa vivió unas horas de impaciencia, aunque la serenidad que se respiraba en aquella bendita casa influyó en su ánimo. La acostaron, lo mismo que a Enriquito, y desde su lecho la muchacha vio cómo aquella buena gente cuidaba de su hijo y preparaba la mesa para los hombres que habían de llegar.

No supo si durmió algo, porque todo lo que ahora sucedía a su alrededor lo consideraba como un sueño. Recordó que, de pronto, se abrió la puerta y entró Jorge, y que la abrazó. ¡No era un sueño! ¡Allí, a su lado, estaba su esposo! '' ¡Gracias, Señor!'', murmuró Elisa.

A la mañana siguiente, la familia cuáquera obsequió a los antiguos esclavos con un suculento almuerzo. Fue presidido por la anciana Raquel. Su modo de ofrecer los alimentos parecía influir en la bondad de éstos. Para Jorge aquel almuerzo ofrecía la novedad de ser aceptado como igual a la mesa de un blanco y compartir su pan.

—Lo único que me preocupa —dijo a los cuáqueros—, es que por nuestra culpa surjan para ustedes dificultades. Lo que hacen ustedes está penado por la ley.

—No tiene la menor importancia —aseguró jovialmente Simeón Halliday—. Además, no lo hacemos sólo por vosotros, sino por Dios. Bien, debes descansar. Esta noche, a las diez, seréis conducidos a la próxima estación por Fineas Fletcher.

* * *

El barco que conducía a Tom, Mississippí adelante, navegaba con normalidad. El negro había logrado con sumisión y honradez ganarse la voluntad de Haley, quien le había librado de sus cadenas y permitido que se pasease de un lado a otro. Así, le era posible ayudar a los fogoneros en su ingrata labor y agazaparse junto a las balas de algodón a meditar sobre la Biblia. Pero no había olvidado su triste suerte; el monótono ruido de las máquinas del barco le repetía incesantemente: "Jamás volverás a recuperar la felicidad perdida ni verás a los tuyos".

Viajaba también en el buque un elegante caballero de Nueva Orleans, en compañía de una dama y una chiquilla de unos siete años de edad, muy bella y graciosa, pero que se hacía notar especialmente por la profundidad de su mirada, que impresionaba sin remedio. Todos los viajeros estaban entusiasmados con ella. Corría de un lado a otro, como una mariposa en primavera, esparciendo su alegría a raudales. Su padre y la señora encargada de su cuidado constantemente iban tras ella, pero la niña les esquivaba y aparecía de improviso en los más apartados rincones del barco.

Tom se hallaba entre sus admiradores. Le gustaba hacerse la ilusión de que la niña con su vestido blanquísimo, era un ángel bajado del cielo para observar su angustioso sufrimiento. La chiquilla frecuentemente se llegaba hasta los pobres esclavos y les miraba compasivamente, alzando sus cadenas para que por unos momentos éstas no les pesasen. Luego se alejaba suspirando con dolor. A veces, les obsequiaba con golosinas.

Tom deseaba vivamente hacerse amigo de ella, pero no se atrevía a insinuarlo abiertamente. Pero como poseía una gran habilidad para fabricar cestitas, muñecos y silbos, y la chiquilla seguía sus trabajos con atención, no tardó en nacer entre ambos una simpática camaradería. Un día, el vigoroso Tom preguntó a la niña:

—¿Cómo se llama, señorita?

—Evangelina Santa Clara —respondió ella—. Pero todos me llaman Eva... ¿Y cómo se llama usted?

—Tomás, pero en mi tierra de Kentucky todos me llaman el tío Tom.

—Yo también le llamaré tío Tom... ¿Hasta dónde va usted?

—Lo ignoro, señorita Eva.

—¡Eso sí que es gracioso!

—Me van a vender al primer comprador que le agrade mi aspecto —informó quedamente Tom—. Y como no sé de dónde será mi nuevo amo...

—Mi padre querrá comprarle a usted —dijo entonces Evangelina muy contenta—. En tal caso, ya habrán terminado sus padecimientos.

—¡Muchas gracias, señorita Eva! —exclamó el esclavo, lleno de esperanza.

Él barco se detuvo para proveerse de leña, y todos los pasajeros contemplaron la operación desde la cubierta. Evangelina y su padre también se hallaban presentes. Y cuando el barco se alejaba de la costa, algo turbó la quietud del grupo y de algunas gargantas se escapó un grito de angustia: Evangelina había perdido pie y su cuerpecillo acababa de hundirse en la corriente del río.

Su padre estaba a punto de arrojarse al agua, cuando vio que, desde la cubierta inferior, Tom, que todo lo había visto, le ganaba la acción y se lanzaba sin pensarlo a salvar a la chiquilla. Logró sujetarla con sus fuertes brazos y alzarla lo suficiente para que respirara libremente, después de lo cual empezó a nadar y, poco después, llegaba junto al casco y varias manos se afanaron por ayudarle, siendo alzada rápidamente la chiquilla. Su padre la llevó consigo a su camarote, donde le prodigó los más solícitos cuidados.

Al día siguiente el barco arribó a Nueva Orleans. La cubierta se convirtió en un hervidero de gente y mercancías. Algo apartado, Tom observaba con cierta impaciencia un grupo formado por Evangelina, su padre y Haley, que conversaban sin que él pudiera oír de qué trataban. El padre de la chiquilla tenía un aspecto muy agradable y jovial. Sus ademanes eran desenvueltos y la bondad se reflejaba en su mirada.

—No puedo negar que sabe usted adornar sus pro-

ductos de las mayores virtudes y atractivos —comentó, después de escuchar sonriendo el discurso persuasivo de Haley—. ¿Cuánto me pides por él?

—Sólo mil trescientos pesos —dijo el traficante—; y se lo doy tan barato teniendo en cuenta lo mucho que Tom le agrada a su hija. Además, no olvide las cualidades de ese hombre: su pecho es firme, sus brazos, robustos, y esa frente demuestra una inteligencia poco común; es capaz de administrar él sólo una plantación.

—Adquiérelo, papá —intervino Evangelina, tomando a su padre del brazo.

—¿Por qué tienes tanto interés en que lo haga?

—Es que deseo hacerle feliz con nosotros.

—Es una contestación original —sonrió el padre, que recogió de manos de Haley la certificación, referente a Tom, que le extendía.

Cuando hubo leído el documento, dijo:

—Veo que es un negro muy religioso, pero pienso que nuestro país está lleno de individuos piadosos, entre los que hay muchos farsantes. Por otro lado, ignoro qué cotización alcanza esta clase de sujetos en la bolsa.

—Veo que gusta de gastar bromas, caballero —dijo Haley, algo impaciente—. Le aseguro que ese negro es auténticamente religioso. Todos le tenían por predicador en el lugar de donde lo he traído.

Tras una breve discusión, el precio quedó fijado en mil doscientos pesos. Mientras Haley escribía el acta de cesión, el padre de Evangelina comentó alegremente:

—Me gustaría saber cuánto dinero darían por mi persona, considerando mi peso, inteligencia, cultura y religión... Por esto último supongo que pujarían muy poco.

Cogió el documento que le tendía Haley, pagó lo estipulado, tomó la mano de su hija y se dirigió al encuentro del esclavo adquirido. Una vez ante él, hizo que Tom alzara la cabeza y le preguntó sonriendo:

—Bueno, dime qué te parece tu nuevo amo.

Tom le miró. Era difícil hacerlo sin agrado, pues el caballero mostraba una sonrisa que irradiaba simpatía y bondad. Los ojos del esclavo se humedecieron.

—¡Rogaré siempre a Dios por usted, señor! —dijo.

—No hay duda de que escuchará antes tus oraciones que las mías. ¿Qué tal manejas los caballos?

—Muy bien, señor. El señor Shelby poseía muchos.

—De acuerdo: serás mi cochero... siempre que no te emborraches más que una vez por semana.

—Yo jamás me emborracho, señor —aseguró Tom, lógicamente ofendido.

—Eso lo comprobaremos más adelante...

Pero al ver el dolorido semblante de Tom, el caballero agregó sonriendo:

—No te preocupes. Sé que eres diferente a los demás negros.

Evangelina se hallaba radiante de satisfacción. Miraba con los ojos brillantes a Tom.

—Ya verás qué bien te encuentras entre nosotros —le dijo—. Y no te preocupes por lo que te diga mi papá. Es un bromista.

—Me parece bien que se lo adviertas —comentó de buen humor el señor Santa Clara, dando media vuelta.

Agustín Santa Clara era hijo de un acomodado plantador de Louisiana y de una dama de origen francés que había emigrado a esa región en los primeros tiempos de su colonización. Agustín poseía un temperamento sensible y amante de la belleza. Los asuntos terrenos le causaban espanto. Enamoróse muy joven de una muchacha del Norte, relaciones que se encargó de interrumpir con malas artes el tutor de ella, engañando a Agustín al enviarle una misiva en la que le comunicaba que su novia iba a casarse con otro caballero. Creyólo el enamorado y, por despecho, casó poco después con una mujer de poco entendimiento y muy caprichosa, con la que no había hallado la felicidad. Sólo al enviarles Dios una hija pareció que en Agustín renacía el deseo de vivir.

La madre, María, quizá a causa de la inactividad en que se encontraba, comenzó a asegurar que se hallaba enferma, molestando continuamente a unos y otros con dolores imaginarios. Evangelina no era atendida, por ello, como su padre hubiera deseado, y decidió llevarla a pasar una temporada a Vermont, donde vivían unos tíos acomodados. Cuando hemos conocido a Agustín Santa Clara y a Evangelina en el barco, regresaban de pasar allí unos días. Con ellos también volvía la prima Ofelia, dama cuarentona y soltera, de rectas costumbres, rostro severo, cuerpo sin gracia y claro entendimiento. Quería mucho a Agustín: no en balde le había guiado durante sus primeros años.

Para convencerla de que debía vivir en su casa,

Agustín no tuvo más que decir que constituía para ella un deber regir un hogar que, a no tardar mucho, quedaría destrozado, si no se ponía remedio.

—Yo reemplazaré a María en el gobierno de tu casa, Agustín —aseguró firmemente—. Para eso soy tu prima.

Y nadie puso en duda de que sería muy capaz de hacerlo.

Desembarcaron y se dirigieron al coche, en cuyo pescante ya se hallaba Tom, reemplazando al anterior cochero. Tras un corto viaje el vehículo se detuvo ante una magnífica mansión de estilo español con vistosos jardines en los que crecían naranjos, geranios, granados y jazmines, entre los cuales discurrían senderos con pavimento de mosaico.

Mientras un ejército de sirvientes salía a darles la bienvenida y ocuparse del equipaje, Santa Clara llevó a Ofelia al interior de la casa y Eva corrió hacia una estancia en la que se encontraba su madre, a la que abrazó efusivamente.

—¡Mamá! ¡Oh, mamá! —exclamó la chiquilla.

María también la estrechó entre sus brazos, pero con una languidez enfermiza. Fue la que primero se separó, alegando que su hija le hacía daño.

Entró su esposo y también la abrazó cariñosamente, presentándole después a su prima, que recibió de María un saludo convencional y lejano. En ese momento apareció en el umbral un grupo de esclavos, al frente del cual iba una mulata de aspecto respetable, que miró a todos tímidamente.

—¡Ah, Mammy! —exclamó Eva, corriendo hacia ella y arrojándose en sus brazos. Después de que la mulata dejó de retenerla toda llorosa, la chiquilla comenzó a distribuir abrazos entre todos los demás sirvientes, con gran disgusto de Ofelia.

—No comprendo esa clase de impulsos —dijo ésta.

—Me gusta ser buena con todos —explicó Eva.

—Me parece muy bien, pero has abrazado...

—A unos negros —concluyó divertido Santa Clara—. Ya te acostumbrarás a esas cosas con el tiempo.

Los sirvientes desaparecieron y Evangelina fue tras ellos con un gran paquete que contenía manzanas, azúcar, juguetes y otras fruslerías para los negros, adquirido todo durante el viaje.

Agustín Santa Clara se volvió entonces hacia Tom, que permanecía algo avergonzado en un rincón, y no lejos de Adolfo, el encargado de gobernar a los negros.

—Te traigo compañía, Adolfo —le dijo Santa Clara—. Procura no inculcarle tus viejas tretas.

—Me alegra que el señor no haya perdido su buen humor —dijo Adolfo, sonriendo zalamero.

Santa Clara indicó a Tom que le siguiera y le condujo a presencia de su esposa.

—Para que veas, María, que no me he olvidado de ti —le dijo—, te he traído este cochero que jamás se emborracha y, por lo tanto, no volcará el coche como el último que tuviste.

—Creo que será como todos —replicó suavemente María, después de mirar con fatiga a Tom.

Cuando Tom salió del salón y se hizo cargo de él Adolfo, Santa Clara se acercó a su esposa con intención de conversar para cambiar impresiones después de tantos días de ausencia.

Capítulo V

LA LUCHA POR LA LIBERTAD

Dejemos a Tom bien instalado y feliz en su nueva casa y situémonos en la del cuáquero Simeón Halliday donde, según se aproximaba la noche, se intensificaban los preparativos de marcha. Las mujeres preparaban las provisiones para los viajeros. En una habitación, Jorge y Elisa conversaban sobre su grave situación, mientras Enriquito reposaba sobre las rodillas de su padre.

—Siento nuevas fuerzas en mi cuerpo —exclamó Jorge, con la mirada brillante—, pues ya me parece estar respirando el aire de la libertad.

Elisa le miró asustada, pensando en los peligros que les aguardaban antes de alcanzar la soñada meta del Canadá.

En esto llamaron a la puerta y entraron Simeón Halliday y un hombre llamado Fineas Fletcher, de elevada estatura y seco de carnes, emanando envidiable energía. Simeón habló gravemente:

—Fineas os trae importantes noticias.

—Así es —dijo el aludido—. Anoche estuve de paso en una posada del camino y pude escuchar una significativa conversación. Unos hombres hablaban de unos esclavos escapados de sus dueños y sospechaban se hallarían en esta misma casa. Una de las voces dijo: "A él lo enviaremos a Kentucky y su amo se encargará de darle su merecido. A su mujer la venderemos en Nueva Orleans por mil setecientos pesos. En cuanto al chiquillo, pertenece a un tratante". También me enteré de que saben qué camino hemos de seguir forzosamente y de que el grupo se compone de siete hombres, según supuse. Ahora debemos forjar un plan conveniente.

—¿Qué podemos hacer? —preguntó nerviosamente Elisa.

—Yo ya lo he decidido —expuso Jorge, empuñando sus pistolas—. Me gustaría no comprometer a nadie.

—A mí no me compromete —adujo Fineas.

—Es diestro y osado como pocos —le defendió Simeón—. El os conducirá a buen sitio sin dudarlo.

—Basta de charla —atajó enérgicamente Fineas—. Voy a avisar a Jim para que prepare los caballos. Si salimos en este momento, es posible que les tomemos la delantera. Esos asuntos de la salvación de negros fugitivos son mi especialidad.

Salió y no tardó en regresar con un carruaje en el que no solamente iban a subir Elisa, Jorge y Enriquito, sino también otro negro, Jim, y su madre, también fugitivos y protegidos de Fineas. En la parte posterior se instalaron las mujeres y el niño.

—¿Llevas pistolas, Jim? —preguntó Jorge.

—Sí, y sé cómo se manejan. No me dejaré arrebatar a mi madre tan fácilmente.

El y Jorge se colocaron frente a las mujeres y Fineas se encargó de los caballos.

—¡Que el Cielo os proteja! —exclamó con emoción el cuáquero Halliday.

—¡Quédense con Dios! —contestaron los fugitivos.

Y partieron de la casa donde tanta ayuda habían recibido. Durante tres horas no se habló apenas en el vehículo, principalmente a causa del estruendo que producían los ejes y llantas al salvar dificultosamente los accidentes de la carretera mal cuidada. De pronto, oyeron detrás de ellos el galope de un caballo.

—Debe ser Miguel Cross —dijo Fineas—. Es un amigo al que he encargado de que me tenga al corriente de nuestros perseguidores.

Detuvo el coche y llegó Miguel, quien manifestó con ojos asustados:

—Se acercan ocho o diez hombres con mucho aguardiente entre pecho y espalda y lanzando amenazas furiosas contra estos fugitivos.

Se reanudó la marcha sin perder un instante. Miguel siguió al coche. No pasó mucho tiempo antes de que empezaran a escucharse los gritos de los perseguidores. Y, media hora después, fueron vistos al coronar una loma. Un grito de triunfo brotó de las gargantas de los traficantes. Elisa sujetó fuertemente a su hijo contra su pecho; la madre de Jim gimió roncamente, y Jorge y Jim empuñaron las pistolas.

El carruaje llegaba precisamente entonces al pie de una escarpada montaña y Fineas, que conocía el terreno aquel a la perfección, detuvo el coche y ordenó a sus ocupantes que lo abandonaran y treparan monte arriba "si querían salvar el pellejo".

Naturalmente, Fineas no abandonó a los negros. Tomó a Enriquito en sus brazos y abrió la marcha muy decidido, siendo seguido por Jim llevando a su madre en brazos, Jorge y Elisa.

La ascensión fue en extremo dificultosa, por lo empinado de la ladera y las peñas que obstaculizaban el paso. Consiguieron llegar a unas peñas, entre las que discurría un paso estrecho con anchura solamente para una persona, al final del cual apareció una grieta profunda, que fue necesario saltar. Cuando todo el grupo alcanzó el otro lado, el guía declaró satisfecho:

—Estamos en buen sitio para defendernos. Esa gente, si quiere acercarse ha de venir por ese angosto paso y lo han de hacer de uno en uno. Nuestras pistolas darán buena cuenta de los que se aproximen.

Abajo se hallaban ya los perseguidores, enfurecidos al ver la excelente posición de los fugitivos.

—¡Bajad! —les gritaron—. Traemos un mandato judicial y entre nosotros hay varios oficiales de justicia.

En el grupo de negreros figuraban, naturalmente, Tomás Loker y Marks. Este último no disimuló un miedo muy humano a asaltar la posición, temeroso de los disparos con que les recibirían. Por el contrario, Loker preguntó quién le quería seguir y se lanzó monte arriba.

Puesto de pie en lo alto de la montaña, como un héroe mitológico, Jorge le gritó:

—Sé cuál es vuestra ley y vuestra justicia. Pero en este momento y lugar nos sentimos tan libres como vosotros.

—¡Los negros jamás me han causado miedo! —exclamó enfurecido Loker, sin dejar de avanzar, seguido de otros del grupo.

Varios minutos después Jorge descubrió su cuerpo caminando por el paso estrecho. Apuntó e hizo fuego. Tomás Loker, herido en un costado, lanzó un rugido de rabia y aún trató de llegar a los esclavos, pero Fineas, casi con dulzura, le propinó un empujón diciéndole:

—Aquí nadie te ha llamado, amigo.

Y Loker cayó montaña abajo, salvándole de perecer unas ramas en las que se enredó su levita y detuvieron su vertiginoso descenso.

— ¡Están armados! —gritaron los que le acompañaban, dando media vuelta y lanzándose como enloquecidos por el miedo hacia abajo, sin preocuparse de su compañero herido. No obstante, algún residuo de humanidad les hizo volver de mala gana y bajar el cuerpo de Loker hasta la carretera, pero en eso quedó todo su buen propósito, ya que como vieran que no se mantenía sobre su caballo, montaron ellos en los suyos y huyeron, incluso Marks, dejando a su amigo desangrándose en el suelo.

Desde las altas peñas, nuestros amigos pudieron observar todo lo que sucedió.

—Quiera Dios que no muera —susurró Elisa.

—¿Supone que no se lo merece? —exclamó Fineas.

—Dios juzgará severamente a quien ha matado.

El camino estaba libre y abandonaron el refugio, dirigiéndose hacia la carretera. El amigo de Fineas, Miguel, había partido en busca de ayuda y no tardaron en verle llegar acompañado de varios hombres a caballo.

—Miguel viene con Esteban y Amariah —exclamó alegremente Fineas—. Ahora sí que estamos a salvo.

—Ayudemos a este hombre —suplicó Elisa.

Fineas era de esa clase de sujetos que entienden de todo; se arrodilló junto al herido y comenzó a poner en práctica sus conocimientos de cirugía.

—¿Eres tú, Marks? —preguntó débilmente Tomás.

—No, amigo. Marks te ha abandonado. Al parecer, estima sinceramente su piel.

Loker lanzó un gruñido.

—¡Es un perro! ¡Abandonarme de este modo!

Realizada la primera cura, subieron al herido al coche y se dirigieron a una finca amiga donde le depositaron en un limpio lecho.

—Sentiría haber matado a un hombre, aunque mis motivos fueran justos —dijo Jorge, pensativo—. ¿Qué haremos con él?

—Dejarle aquí, en manos de la abuela de mi amigo Amariah, que se desvive por cuidar enfermos —anunció satisfecho Fineas.

Capítulo VI

AMOS Y ESCLAVOS

Tom se hallaba encantado con su nuevo amo, el alegre Santa Clara, tan poco amigo de preocupaciones como todos los caballeros del Sur.

Había observado el buen negro que la administración que se llevaba en aquella casa era desastrosa, pues tanto el dueño como su mayordomo Adolfo eran unos despilfarradores. Y Tom, suavemente, decidió arreglar ciertas cosas. El hecho, que significaba excelente voluntad, satisfizo a Santa Clara, quien ante el disgusto del actual mayordomo dijo a éste:

—Creo que Tom puede ayudarte mucho, Adolfo. Sabe comprar maravillosamente y con gran ahorro. Al paso que íbamos, mis fondos acabarían prematuramente.

Lo que más era de admirar en Tom era su honradez en las cuentas, cuando, por lo abandonado que era Santa Clara en los asuntos económicos, fácil le habría sido engañarle. Y sus esfuerzos en pro del hogar que ahora le tenía no se limitaban a ser honrado con el dinero: oraba frecuentemente por la conversión de su amo a la Religión, de la que le sabía muy despegado.

Sucedió que un lunes, a la mañana, trajeron a Santa Clara beodo a su casa. Adolfo se rió mucho viendo a su amo en tan lamentable estado. Por el contrario, Tom lo sintió vivamente, y toda la noche se la pasó rezando fervorosamente por él.

Al día siguiente Santa Clara hizo a Tom varios encargos y le entregó dinero. Como el negro no se moviera, le preguntó:

—¿Deseas algo?

—Sí, amo.

—¿Qué es ello? Tu cara está muy triste.

Tras una breve pausa, Tom dijo:

—Siempre creí que el amo era bueno para todo el mundo.

—¿Y no es así? ¿Qué quieres pedirme?

—Nada para mí —murmuró Tom, observándole fijamente—. Me da mucha pena ver que el amo no es bueno consigo mismo.

Santa Clara no dejó de sentirse avergonzado por aquellas palabras. Tom agregó:

—¡Sería lamentable que se perdieran su alma y su cuerpo!

Ahora, Tom estaba llorando, arrodillado ante su amo, quien también sintió que sus ojos se humedecían.

—Está bien, Tom —dijo—. Te prometo no caer otra vez. No me satisfacen esas fiestas, pero mi voluntad es débil y acudo a ellas para olvidar recuerdos.

Desde aquel día, Agustín Santa Clara no volvió a beber, y Tom se sintió feliz.

Por su parte, Ofelia se había propuesto transformar de arriba abajo la casa. Su increíble energía chocaba frecuentemente con el abandono de María, y era el espanto de la servidumbre. Dinah, la cocinera, hasta entonces reina de su coto, se desesperó al ver que otra persona pretendía intervenir en los asuntos que hasta entonces ella manejara en exclusiva. Naturalmente, Ofelia habría ganado aunque no se hubiera hallado en el puesto de la señora de la casa, porque le sobraba carácter para ello. El resultado de todo fue que consiguió encauzar la economía y las costumbres por el camino del orden...

Estaba una mañana ocupada Ofelia en realizar con su actividad característica los quehaceres de su ingrato cargo, cuando oyó que su primo le llamaba desde la escalera. Bajó y Santa Clara le anunció:

—Mira: he comprado algo para ti.

Y le señaló una chiquilla negra de ojos redondos e inquietos, con una expresión traviesa en su semblante.

—¿Qué quieres que haga con ella? —preguntó Ofelia, asombrada.

—He pensado que podrías educarla a tu gusto e imponerla en Religión. Una vez me dijiste que a los negros había que instruirles convenientemente... ¡Eh, Topsy, ven aquí! Canta y baila para tu nueva ama.

La chiquilla, con gran desparpajo y sin dejar de mirar a su alrededor, comenzó a entonar una melodía típica de la raza africana, mientras sus manos y pies se movían a compás. Concluyó con un penetrante grito y quedó esperando el resultado.

No pareció haber impresionado a Ofelia aquella exhibición de habilidades, pues se limitó a exclamar:

—Está muy sucia y a medio vestir. Me encargaré de remediar esto.

Y, así diciendo, cogió a la chiquilla de la mano y se la llevó a paso ligero a la cocina. Allí, con la ayuda de la mulata Juana la bañó y peinó. Sólo se interrumpió su vertiginosa labor unos instantes: al descubrir en la espalda de Topsy las inconfundibles huellas que hablaban claramente del modo como la habían tratado anteriormente. Ofelia se sorprendió al advertir que su corazón se ablandaba más de lo que juzgaba prudente.

Los efectos del lavado, peinado y del nuevo vestido fueron fulminantes. Ofelia aseguró que "la había cristianizado" y que ahora podía pensar en educarla.

—Vamos a ver, Topsy —le dijo—: ¿cuántos años tienes?

—No lo sé, señorita —contestó la chiquilla, sonriendo y mostrando todos sus dientes.

—¿Cómo se llamaba tu madre?

—¡Yo no he tenido nunca madre!

—¿Dónde has nacido?

—No he nacido nunca.

Ofelia sospechó que se quería burlar de ella. Y empezó a reconvenirla severamente, pero la niña la atajó:

—Le aseguro que lo que le digo es lo que pienso. Sé que no he tenido padres porque he sido criada en casa de un hombre que vendía negros.

La mulata Juana intervino para convencer a Ofelia de que aquel caso no era extraño. Los negreros adquirían niños casi recién nacidos, a bajo precio, y los mantenían hasta que alcanzaban una edad productiva.

Ofelia estaba casi asustada.

—¿Has oído hablar alguna vez de Dios? —preguntó a Topsy, pero ésta le miró sin entender la pregunta. ¡Nadie había pronunciado su nombre ante la niña!

La máquina estaba en marcha. Ofelia había tomado una decisión y comenzó su tarea aquella misma mañana. Condujo a Topsy a su habitación y le enseñó cómo se hacían las camas y se disponían las ropas y muebles para dejar una estancia compuesta. Tan embebida se hallaba la dama en sus explicaciones, que no advirtió cómo la niña cogía un par de guantes y una cinta y los ocultó en las mangas de su vestido. Grande fue su asombro cuando momentos después, al obligar a Topsy a realizar uno de los trabajos por averiguar si habían sido aprovechadas sus lecciones, descubrió que una cinta colgaba de la manga del vestido de la negrita.

—¿Conque ésas tenemos? —exclamó Ofelia, indignada—. Trae acá esa cinta.

Y de un tirón se la sacó.

—¿Por qué la has robado?

—Yo no he robado nada, señorita —aseguró muy seria Topsy—. Se me habrá metido en la manga al remover la cama.

Ofelia no era persona de paciencia y aquella nueva mentira la encolerizó. Zarandeó a la niña... y el movimiento hizo caer de la otra manga el par de guantes.

—¿Lo confiesas ahora? —exclamó Ofelia—. Si no lo haces mandaré que te azoten.

Por supuesto, no abrigaba Ofelia la menor intención de hacerlo, pero la amenaza surtió efecto: Topsy confesó que lo había robado.

—Y lo peor es que se me ocurre pensar —agregó la dama— que habrás ya robado otras cosas en esta casa. Vamos, confiesa todo y te perdonaré por esta vez.

—Sí, señorita —murmuró Topsy—: también he robado una cosa de color rojo que lleva al cuello la señorita Eva. Y los pendientes de Rosa.

Ofelia suspiró pacientemente.

—Vas a traerme esas cosas inmediatamente —ordenó.

—No puedo. Las he quemado.

—¿Por qué has hecho tal fechoría?

—Porque soy mala, señorita; sí, muy mala.

Pero sucedió que en aquel momento entró en la habitación Eva con su collar de coral que Topsy decía haber robado y quemado. Y el estupor de Ofelia subió de punto al presentarse también Rosa con sus pendientes.

—Esto es para desconcertar a cualquiera —aseguró Ofelia—. ¿Con qué motivo has dicho que robaste esas cosas, Topsy?

—Usted me ordenó que confesara y como yo no tenía nada que confesar... —murmuró la niña.

—Yo sé cómo arreglar estos asuntos —habló Rosa—. Déle unos cuantos azotes y así aprenderá.

—¡Eso no, Rosa! —exclamó súbitamente Evangelina—. Tales procedimientos quedan fuera de esta casa.

Y, al decirlo, el rostro de Eva se tiñó de vivo car-
mín. Ella y Topsy quedaron frente a frente. Dos tipos
opuestos, dos ejemplares humanos distantes entre sí
acaso milenios: la niña rubia, fina y educada, y la mu-
chachita medio salvaje cuyos padres aún vivían en Africa
en estado primitivo. Pareció que Eva consideró todo
ello al exclamar con todo su corazón:

—¡Pobre Topsy! En mi casa no tienes necesidad de
robar porque no carecerás de nada.

Palabras tan amables como aquéllas jamás las había
escuchado la negrita; la niña conmovida, dejó que las
lágrimas surcaran su rostro. No obstante, el brillo mali-
cioso de sus ojos no desapareció.

Ofelia, ignorando qué actitud tomar para con ella,
optó, de momento, por encerrarla en un cuarto oscuro.

—¿Qué me aconsejas? —preguntó a su primo.

—Difícil es la respuesta —sonrió Santa Clara—.

Supongo que habrá de armarse de paciencia quien se disponga a proseguir con su educación.

Ofelia le miró y entendió. Pensó: "De acuerdo. Se me olvidaba que he tomado la decisión de educarla hasta triunfar".

Hizo Ofelia acopio de todas sus potencias, que eran considerables, y reanudó la lucha. Le dio lecciones de lectura, escritura, cosido y planchado. La chiquilla se resistía incesantemente, pues nada de aquello se avenía con su temperamento, especialmente por el motivo de que su inquietud natural le impedía permanecer inmóvil realizando tales menesteres. Pero más grave que ello estimó Ofelia que era la fascinante atracción que sus diabluras ejercían sobre Eva.

—No permitiría que una hija mía fuera amiga de Topsy —terminó diciendo.

—Eva está por encima de esas maldades —expuso Santa Clara—. Lo demuestra el hecho de que nada de lo que ha visto en esta casa la ha corrompido.

Topsy era inteligente, pero no se esforzaba por aprender. Y Ofelia se desesperaba.

—¿Por qué te empeñas en no obedecerme? —le preguntaba.

—Soy muy mala, señorita.

—No sé qué hacer contigo.

—Pues pégueme. Mi ama anterior lo hacía frecuentemente. No me asustan los golpes.

Y Ofelia, aunque le repugnaba el procedimiento, lo eligió por una vez y así comprobar si era el medio de educar debidamente a Topsy. Pero no estaba acostumbrado a ello la dama... y su brazo resultó excesivamente delicado.

—¡La señorita Ofelia no tiene fuerza ni para matar un mosquito! —se mofó Topsy, después, ante otros chiquillos.

De este modo siguió la educación de la chiquilla durante un par de años, gracias a la admirable tenacidad de Ofelia. Santa Clara había simpatizado con la niña, a la que entregaba frecuentemente algunas monedas con las que ella adquiría dulces y nueces que luego repartía entre los otros chiquillos de la casa, ya que, en el fondo, era una criaturita de buenos sentimientos que sólo carecía de adecuados principios y enseñanzas.

* * *

En tanto tenían lugar estas escenas, Tom se encontraba en su cuarto realizando una labor muy de su agrado: escribir a los suyos. Aunque de mala manera, sólo gracias al señorito Jorge lo podía hacer. Se hallaba en la mayor de sus dificultades, cuando se colocó a su espalda Evangelina.

—¿Qué está haciendo, Tom?

—Luchando por acabar esta carta a mi familia. Me parece que no lo conseguiré.

—Estoy dispuesta a ayudarle en lo que sepa.

Y la chiquilla se situó al lado del negro, unió su rubia cabecita a la rizada pelambrera alborotada de Tom, y entre ambos comenzó una serie de discusiones acerca de las letras que correspondía colocar y del modo de realizarlas. La carta así terminada no presentaba un aspecto muy elegante, pero cumplía su cometido de enviar el corazón de un padre y esposo a las personas que hubo de abandonar.

—¡Qué contenta se va a poner tía Clotilde! —exclamó Eva—. He de suplicar a papá que le deje a usted volver con ellos.

—Confío siempre en la señora Shelby, que prometió reunir el dinero necesario para rescatarme; y en el señorito Jorge, que aseguró me buscaría, en prenda de lo cual me entregó este peso —y Tom extrajo de su ropa el recuerdo que guardaba como una reliquia.

En ese momento entró en el cuarto Santa Clara y preguntó y le explicaron en qué se habían estado ocupando.

—Yo te habría escrito la carta con mucho gusto, Tom —dijo al esclavo.

—Pero es que necesitaba enviarla urgentemente —explicóle su hija—. Su antigua ama le tiene prometido enviar el dinero para su rescate.

Santa Clara sonrió con escepticismo; pensó que tal promesa sería una de tantas que se hacen a los desgraciados esclavos cuando se les vende, a fin de que su partida resulte menos dolorosa. Pero la pequeña Eva se dio cuenta de que su padre no daba mucho crédito a sus palabras, y entonces le contó que Tom guardaba el peso que su anterior amo le había dado en prenda de futuras cantidades que iría ahorrando. Santa Clara acarició bondadosamente a su adorable hija, y a continuación escribió nuevamente la carta de Tom, que fue echada al correo al día siguiente.

Capítulo VII

BONDADOSAS INICIATIVAS

Apaciblemente sentado en un sillón, el señor Shelby saboreaba un hermoso cigarro. No lejos, su esposa bordaba y parecía esperar la ocasión de decirle algo. Por fin, se atrevió...

—Tía Clotilde ha recibido una carta de Tom.

—¿De veras? Habrá convencido a algún amigo de aquellas tierras para que le escriba. ¿Qué tal se encuentra?

—Ha sido comprado por una buena familia que le estima mucho.

—Eso me tranquiliza —exclamó sinceramente Shelby—. Quizá, así, se quede definitivamente con ella.

—No piensa en ello, sino en volver. Nos ruega que no nos olvidemos de él cuando mejore nuestra situación económica.

Shelby torció el gesto, disgustado con el tema.

—Mis asuntos van de mal en peor —declaró.

—¿No podríamos vender algunos caballos y una de tus alquerías para pagar esa deuda? —insinuó la dama.

—No te metas en mis problemas; no los entenderías.

Emilia, a pesar de lo que su esposo pensaba de ella, era una mujer inteligente y de carácter, muy capaz de haberle ayudado si él la hubiese dejado intervenir en sus asuntos. Pero lo que más le dolía a la señora Shelby era el no poder cumplir la promesa hecha tanto a tía Clotilde como a Tom de rescatar a éste.

—Tú no sé lo que pensarás —le dijo a su marido—, pero a mí me repugna faltar a mi palabra. Estoy dispuesta a dar lecciones y ganar lo suficiente para comprar de nuevo a Tom.

—¡Eso sería rebajarte! —estalló Shelby—. No te lo consentiría de ningún modo.

—¿Y no consideras que sería rebajarme dejar incumplida mi promesa? —preguntó apenada Emilia.

—Hay acciones heroicas sólo explicables cuando las realizaba un don Quijote —sentenció duramente Shelby.

En aquel momento asomó la cabeza tía Clotilde y llamó quedamente a su señora. Emilia se levantó y salió del salón; estaba segura de que tía Clotilde había tenido que enterase de lo tratado en aquella conversación.

La negra le miró con una sonrisa especial, que presagiaba algún extraño proyecto y petición. Emilia la conocía muy bien.

—Mire, señora —comenzó tía Clotilde—: creo que no hemos de darle más vueltas al asunto del dinero y arreglarnos con los medios con que contamos.

—No comprendo, la verdad...

—Verá usted, señora: algunos patronos alquilan sus negros y consiguen producto. Me ha dicho Samuel que en Louisville hay un pastelero que necesita un empleado que haga buenos pasteles y tortas. ¡Y ya sabe usted que nadie me supera en eso!

La señora Shelby la escuchó conmovida.

—Sally me reemplazaría —continuó tía Clotilde—. Ya le he enseñado lo suficiente.

—¿Y sus hijos? —inquirió Emilia.

—Ya son mayorcitos y pueden trabajar. Sally atenderá a la pequeñita, que es muy buena y apenas la molestará.

—Louisville está muy lejos, Clotilde —pero agregó al advertir la nube de tristeza que cubrió el rostro de la

negra—. Naturalmente, se encontrará más cerca de Tom que permaneciendo aquí. Y le prometo que todo su salario quedará íntegro para rescatarle.

—¡Qué buena es usted, señora! ¿Cuántas semanas tiene un año?

—Cincuenta y dos.

—A cuatro pesos cada semana, serán...

—Doscientos ocho pesos.

—¿Cuánto tiempo tendré que trabajar?

—Cuatro o cinco años —dijo Emilia, sonriendo tristemente—. Pero no necesitará estar tanto tiempo ausente; yo agregaré parte de ese dinero.

Tía Clotilde no halló palabras para agradecer a su ama tanta bondad, separándose de ella profundamente emocionada y asegurando que partiría al día siguiente.

En la cabaña donde tan feliz viviera con Tom, encontró al señorito Jorge, al que refirió todo su proyecto y rogó que le escribiera una carta a Tom.

— ¡De acuerdo! —exclamó el muchacho—. Voy corriendo a casa a buscar papel y tinta.

—Y yo le prepararé un trozo de pollo como le gusta a usted —anunció jovialmente la negra—. ¡Será la última cena de tía Clotilde!

Pasaron dos años, que para Tom fueron si no crueles por lo menos monótonos... y esperanzadores, pues había recibido a su tiempo la carta de su esposa, por la que le comunicaba que trabajaba en Louisville en casa de un panadero y que la señora Shelby ahorraba íntegramente su sueldo para el rescate. Le decía también que los chicos, Moisés y Pedro, se encontraban fuertes y trabajadores, y que la niña ya caminaba. En cuanto a la cabaña, la cabaña de Tom, estaba cerrada, aunque el señorito se preocupaba de realizar algunas reparaciones para cuando su dueño regresara.

Tom leyó infinidad de veces la carta y hasta pretendió colocarla en un marco, pero Eva le disuadió de ello alegando que como estaba escrita por ambas caras...

La amistad entre la niña y Tom iba en aumento. Eran dos almas nobles que se compenetraban a la perfección.

La familia Santa Clara había abandonado la ciudad para vivir en el campo en Pontchartram, al alcance de las brisas del mar. Se trataba de una finca maravillosa, rodeada de parques y jardines.

Eva y Tom se sentaban frecuentemente a la orilla de un lago y leían la Biblia, muchas de cuyas frases creía la chiquilla que se referían directamente a ella.

Un día, Eva cantó:

—"Sus vestidos son blancos como la nieve y en sus manos lleva las palmas triunfantes"—. Y agregó, mirando a Tom fijamente—: Tío Tom, no tardaré en estar en el cielo, con los ágeles...

Entonces comprendió Tom el porqué de la alarma de Ofelia cuando Eva tosía. Sospechaba que estaba bastante enferma. Y el triste descubrimiento llenó al buen negro de melancolía.

También Agustín Santa Clara estaba hondamente preocupado, si bien evitaba hablar de ello con nadie. Acostumbraba a llevar a su hija medicamentos, en un desesperado esfuerzo por curarla. Pero lo que más le dolía de ella era su insospechada claridad mental, impropia de una niña de su edad. Se daba cuenta de todo, y su padre la escuchaba al hablar con la angustia natural de quien se encuentra impotente por evitar un mal evidente y conocido hasta de la propia enferma. En tales ocasiones, estrechaba a su pequeña contra su pecho, en un afán desesperado por librarla de todo daño.

Si siempre se mostró Eva generosa, entonces sus desvelos se duplicaron. Un día preguntó a su madre:

—¿Por qué no enseñamos a leer a nuestros esclavos?

—¡Qué pregunta más tonta! —exclamó María.

—Tía Ofelia ha enseñado a leer a Topsy.

—¿Y no ves el resultado? Es la chiquilla más endemoniada que he conocido.

—Sé que a Mammy le gustaría poder leer la Biblia. ¿Quién se la leerá cuando yo no pueda hacerlo?

María sacó de un estuche unas alhajas y se las mostró a su hija.

—No te preocupes de esas cosas tontas —le dijo— y

mira las joyas que te regalaré cuando seas mayor...

Eva se acercó y tomó un soberbio collar de diamantes, que examinó durante un rato.

—¿Vale mucho, mamá?

—Sí, hija, una pequeña fortuna.

—Me gustaría tenerlo para conseguir por él el dinero suficiente para comprar una casa en algún Estado libre y llevar allí a todos nuestros esclavos y educarles como se merecen.

Su madre se llevó las manos a la cabeza.

—Oh, tus palabras me producen jaqueca —protestó lánguidamente—. Dejemos ese tema.

Eva se retiró, pero las lecciones de Mammy no se interrumpieron.

Capítulo VIII

PRESAGIOS FUNESTOS

El hermano de Agustín Santa Clara, Alfredo, decidió pasar los días con su familia acompañado de su primogénito, muchacho de doce años, inteligente y atractivo, quien pronto se sintió atraído hacia su simpática y sensible prima Evangelina.

La niña poseía un magnífico caballo blanco, sumamente manso, que en aquel momento era conducido por Tom a la galería posterior, mientras un muchachito mulato llamado Dodo llevaba otro caballo, éste propiedad de Enrique, que así se llamaba el hijo de Alfredo.

Este se presentó entonces y, al ver que su caballo mostraba ligeras manchas en su piel, se encaró con el mulato.

—¿No has limpiado mi caballo como es debido? —le gritó colérico.

—Sí, señor —respondió suavemente Dodo.

—¿Cómo te atreves a replicarme? —y Enrique cruzó el rostro del esclavo de un latigazo, empujándole para que cayera de rodillas y, cuando lo tuvo así, le siguió golpeando furiosamente hasta quedar agotado.

—¡Ahora, vete! —le ordenó—. Y no regreses hasta que no hayas limpiado como es debido el caballo. ¡Yo te enseñaré a no responderme!

En ese momento se acercó Tom, que había visto todo lo sucedido, y explicó:

—Señorito Enrique, permítame decirle que Dodo iba a contarle que el caballo, al salir de la caballeriza, se revolcó por el suelo y por eso se ha manchado. Yo he sido testigo de cómo lo ha limpiado esta mañana.

—¿Quién le ha mandado hablar a usted? —exclamó Enrique violentamente, volviéndole al punto la espalda y dirigiéndose hacia donde se hallaba Eva, en la galería.

—Lamento, querida prima, que ese estúpido la haga esperar —dijo el muchacho—. ¿Por qué me mira de ese modo?

—Ha sido una crueldad la que ha cometido usted con ese pobre Dodo —declaró Evangelina, muy impresionada por la acción que acababa de contemplar—. Le ha pegado injustamente. Tom le ha explicado lo que ha sucedido. Y le suplico que no me llame "querida prima" en tanto no tenga intenciones de tratar mejor a los negros.

—De acuerdo —sonrió Enrique—. No les pegaré delante de usted.

Por supuesto, Eva no quedó satisfecha. Por eso, cuando Dodo se presentó con el caballo ya limpio, y una vez que Enrique la hubo ayudado a subir a él, se volvió al mulato, que en su rostro llevaba señales evidentes de haber llorado, y le dijo amablemente:

—Gracias, Dodo. Eres un gran chico.

El mulato la miró asombrado. No recordaba cuándo le habían dirigido palabras como aquéllas. Sus ojos se humedecieron. Pero la voz imperiosa de Enrique le devolvió a la triste realidad.

—¡Ven aquí, Dodo!

El muchacho corrió a sujetar el caballo de su amo. Este, cuando montó, arrojó despectivamente una moneda al mulato.

—¡Búscala! —le gritó riendo.

Y Enrique puso al trote su caballo y fue tras Eva, para realizar el paseo que habían dispuesto.

Una hora después, regresaban. Santa Clara salió al encuentro de su hija y detuvo su caballo, ayudándola a bajar de él.

—¿Te has cansado mucho? —le preguntó, abrazándola cariñosamente.

—No, papá —respondió Eva, pero era evidente que respiraba con mucha dificultad.

—Ya sabes que te perjudica hacer galopar a tu caballo —advirtióle Agustín—. No lo vuelvas a repetir.

Y el padre, hondamente preocupado, la tomó en sus brazos y la condujo suavemente al salón, depositándola en un sofá. Enrique llegó y se sentó a su lado.

—¡Cuánto siento que no podamos permanecer en su casa más que dos días! —dijo el caballerito—. Estoy seguro que acabaría siendo bueno con los negros.

—Si los amara no necesitaría hallarse aquí para tratarles bien —indicó Eva.

—¿Amar a los negros? —exclamó asombrado Enrique—. ¿Es que los ama usted?

—Sí. La Biblia nos lo enseña.

—Acaso lo diga la Biblia —admitió Enrique—, pero nadie lo cumple.

Y agregó, mirando a Eva fijamente:

—Por usted, querida prima, sería capaz de hacer eso y más. Es usted maravillosa.

Enrique quedó vivamente impresionado por la belleza y bondad de Eva, por eso sintió mucho tener que partir con su padre. Cuando esto sucedió, Agustín se dio cuenta de que su hija había desmejorado y sus fuerzas disminuído. La culpa era de los paseos dados con su primo, que le obligaba a desarrollar un esfuerzo peligroso para su delicado estado. Su padre temía llamar al médico y conocer la verdad. María estaba tan embebida en su propia enfermedad, que suponía ser ella la única persona que podía encontrarse con necesidad de cuidados. Ofelia luchaba por encarrilarla hacia sus sagrados deberes maternales.

—Eva tiene una tos seca que no me gusta nada.

—No veo en ella nada de particular —contestaba María con indiferencia—. Yo también tenía esa misma tos a su edad.

Pero cuando no hubo más remedio que avisar al médico, la madre cambió de actitud, aunque sólo para dar distinto giro al motivo de sus lamentaciones.

— ¡Soy la más desgraciada de las madres! —gimió—. A pesar de mi enfermedad, he de ver cómo fallece mi única e idolatrada hija.

Sin embargo, dos semanas después Eva experimentó una sensible mejoría. Rió y jugó de nuevo y su padre quiso pensar que estaba salvada. Sólo Ofelia y los médicos no se dejaron engañar.

Eva sentía que su muerte no se haría esperar. Era una especie de presentimiento fatal que no producía en ella apenas disgusto sino placidez consoladora.

—Ahora entiendo —dijo un día a Tom—, por qué Jesucristo decidió morir por nosotros. Verá usted...; le confieso que he sentido el mismo deseo. Daría con gusto mi vida por remediar tanto sufrimiento como veo a mi alrededor.

Cuando la chiquilla se retiró, Tom se enjugó las lágrimas que corrían por sus mejillas. Y dijo a Mammy:

—La señorita Eva se nos va. He visto sobre su frente el sello del Señor.

Evangelina se dirigió al encuentro de su padre, quien, al verla aproximarse tan delicada y hermosa, sintió que el dolor se agolpaba, de nuevo, en su pecho.

—¿Es verdad que te encuentras mejor, hija mía? —le preguntó anhelante, tomándola de las manos.

—Papá —dijo ella vivamente—: quiero hablarte. Necesito hacerlo antes de que las fuerzas me fallen...

Aquí, Evangelina rompió en sollozos. Agustín la estrechó entre sus brazos, sin poder dominar apenas su emoción.

—No debes pensar esas cosas —le susurró, acariciándola.

—No me engaño ni quiero que nadie se engañe —continuó la niña—. No me apenaría abandonar este mundo si no fuera por ti y por los que amo. Pero sé que mi destino está en el cielo, junto al Señor.

—¿Qué es lo que te amarga de esta vida?

—Los pobres esclavos. ¿No existe un medio de dar la libertad a todos ellos?

—Reconozco que la esclavitud es horrible —dijo Santa Clara—. Pero ignoro dónde pueda estar el remedio para hacerla desaparecer de la faz de la tierra.

—Sé que pensarás más en ello cuando yo haya desaparecido —musitó Evangelina, haciendo que un nuevo estremecimiento dominara a su padre.

—¡No digas esas cosas, hija mía! —exclamó Agustín—. Te prometo cumplir todos tus deseos.

—Me gustaría que Tom alcanzara su libertad en el mismo momento en que yo... parta para el cielo.

Santa Clara fue incapaz de seguir hablando y escuchando. Estrechó a su hija aún más fuertemente entre sus brazos y de este modo la retuvo unos instantes, breves en tiempo pero fecundos en evocaciones, pues vino a su memoria el recuerdo de los dulces años de su propia niñez, cuando escuchaba de labios de su madre las oraciones, y los himnos de Ofelia, y sentía los nobles impulsos de su corazón que ahora comprendía que los había mantenido enterrados para ponerse a la triste altura de los tiempos que corrían.

Después de tales reflexiones, tomó en sus brazos a Eva y la llevó a su dormitorio, acostándola con todo género de precauciones, pues ya estaba dormida.

Capítulo IX

LA MUERTE DE EVA

Pasaron unos días y Eva, como ella lo predijo, fue declinando. Ya apenas salía de su dormitorio a jugar o pasear. Pasaba las horas encerrada en él, contemplando el lago y el jardín desde los ventanales de la fachada. Su dormitorio era una pieza muy elegante, adornada por encargo de su padre con los mejores muebles y cortinones de París. Sobre la chimenea se veía una imagen de Jesús y, a ambos lados, dos jarrones, que Tom se encargaba de llenar de flores todas las mañanas. El lugar emanaba dulzura y paz.

Cierto día en que Eva, como de costumbre, leía la Biblia, oyó en el pasillo la voz de su madre que gritaba malhumorada:

—¿Para qué has cortado esas flores?

A estas palabras siguió el sonido característico de un bofetón.

—¡Las he recogido para la señorita Eva! —se oyó exclamar a Topsy.

—¿Y para qué necesita Eva estas flores?

Eva se levantó y se dirigió a la puerta.

—Mamá, me gustaría tener esas flores —dijo—. Dámelas, Topsy.

Y la negrita, que ya se retiraba cabizbaja, dio la vuelta alegremente y se acercó a su amita. Pero, al mismo tiempo, había desaparecido de su rostro la osadía que se vio en él mientras se hallaba ante María. Ahora mostraba una mirada tímida y vacilante.

Aquella acción de Topsy, que puede parecer desconcertante, tratándose de ella, tuvo su origen en una conversación que sostuvo con Evangelina, a raíz de una de las frecuentes regañinas que sufría la negrita. Como nadie parecía ser capaz de corregir sus travesuras, optaron por ensayar los azotes, pero entonces intervino Eva y se la llevó consigo a un cuarto, donde la empezó a hablar del cielo, del amor que se debían tener todos los mortales, de lo mucho que la querrían si fuese buena...

—Aunque fuera buena —dijo Topsy—, no dejaría de ser negra. El color de la piel no se puede borrar. Por eso nadie me quiere.

—¡Pobre Topsy! —exclamó Eva, tiernamente, tocando con sus manos aquella piel que todos odiaban—. ¡Yo te amo! Te amo porque estás sola, porque no has conocido a tus padres. Desearía que dejaras de ser perversa antes de que yo me fuera para siempre...

Y sucedió lo nunca visto: Topsy lloró en los brazos de Eva y prometió enmendarse. Es así cómo aquella negrita abandonó sus malas artes y obedeció a su amita como no lo había hecho con nadie más.

Era por eso que Topsy llevaba flores a la habitación de la enferma. Eva le rogó que le regalara un ramo todos los días, a lo que María protestó alegando para qué necesitaba tantas flores. Pero Topsy se retiró con la esperanza de poder recogerlas a diario para su amita.

—Estoy convencida de que Topsy realiza esfuerzos para corregirse —dijo Eva a su madre, cuando quedaron solas.

—Le costará años el conseguirlo —suspiró María.

Después de una breve pausa, Eva dijo:

—Quisiera que alguien me cortara parte de mis cabellos.

—¿Cortarlos? ¿Para qué? —exclamó asombrada su madre.

—Para entregárselos a mis amigos, en tanto me es dado hacerlo —explicó la niña—. ¿Por qué no llamas a Ofelia para que me los corte?

María así lo hizo, aunque de mala gana por considerar el ruego capricho de niña mimada. Llegó Ofelia con unas tijeras y a punto estaba de comenzar su trabajo cuando se presentó Santa Clara con una bandeja de dulces para su hija, a la que no quiso llevar la contraria en su idea sobre su cabellera. Sólo indicó:

—Procura, Ofelia, que no se vea el corte por debajo. Los rizos de Eva constituyen mi ilusión.

Santa Clara vio con tristeza cómo iban cayendo los rubios bucles de su hija, que Ofelia colocaba en las rodillas de la niña. Cuando la tía concluyó la operación, Eva se volvió a su padre.

—Aún deseo hacer muchas cosas antes de abandonaros, papá —le dijo.

—Te escucho, hija mía —contestó Santa Clara esforzándose por disimular las lágrimas que se desprendían de sus ojos. Su mano retenía la de Evangelina.

—Os suplico que hagáis venir a los criados. Debo decirles algunas cosas.

Ofelia se encargó de enviar un mensajero a cumplir aquel deseo, y poco después estaban reunidos en la habitación todos los esclavos de la casa. Eva se hallaba rodeada de almohadas, que la sostenían, y el vivo color de sus mejillas contrastaba con la palidez de su piel y sus demacradas facciones. Sus dulces ojos se fijaron en los sirvientes y éstos sintieron como si un ángel les hubiera mirado. Las mujeres se cubrían el rostro con sus delantales y los hombres mostraban en sus semblantes la congoja que les dominaba.

—Quería deciros, queridos amigos —comenzó la

enfermita—, que os amo, y que os ruego jamás olvidéis lo que vais a oír... Dentro de poco tiempo os abandonaré y ya nunca nos veremos en la tierra.

Los sollozos que se alzaron del grupo fueron el único sonido que se oyó en aquella habitación.

—Pero en el cielo nos volveremos a encontrar todos —prosiguió suavemente Evangelína—. Porque existe un cielo en el que veréis a Jesús si cuidáis en esta vida de vuestra alma. Haceos cristianos y rezad a Dios con vuestra mejor fe y voluntad. Y tratad por todos los medios de que alguien os lea la Biblia. Si así lo hacéis, nos volveremos a encontrar todos en el cielo.

—Amén —respondieron todos los esclavos.

—Todos me amáis —prosiguió Eva.

—¡Sí! ¡Sí! —exclamaron los negros.

—Por eso quiero entregaros ahora algo para que jamás me olvidéis: estos rizos, uno para cada uno. Cuando los miréis, acordaos que os aguardo en el cielo.

Todos se aproximaron conmovidos a recoger el último recuerdo de la enferma. Al llegar ante ella, se arrodillaban y besaban sus ropas. Algunos entre ellos la habían visto nacer y eran los que le dedicaban emotivas frases, plegarias y bendiciones, que a Ofelia alarmaban por los contraproducentes efectos que podrían causar en Eva tantas emociones. Por tal motivo hizo salir en poco tiempo a todos los sirvientes, dejando únicamente a Tom y a Mammy.

—Este hermoso rizo lo he reservado para usted, tío Tom —dijo Eva—. Y este otro para Mammy.

—Gracias, señorita Eva —murmuró el fiel negro, sintiendo que la mano de Ofelia se posaba en su hombro significativamente. El y Mammy salieron de la estancia.

De pronto, surgió de un rincón la pequeña Topsy.

—¿Qué haces tú aquí? —le preguntó secamente Ofelia.

—Quiero un rizo de la señorita —suplicó la chiquilla—. Aunque como soy muy mala no sé si me lo dará...

—Claro que sí, mi querida Topsy —sonrió Eva, entregándoselo—. Consérvalo y que sirva para que te acuerdes de mí.

—Ya verá cómo consigo ser buena.

—Jesús conoce tus deseos y te ayudará.

Topsy abandonó la habitación frotándose sus ojos humedecidos y apretando contra su pecho el rizo.

Ofelia cerró la puerta. Por sus mejillas también corrían las lágrimas. Eva miró a su padre.

—¡Querido papá! —susurró, echando los brazos a su cuello. En ese momento María sufrió un ataque de nervios y fue conducida por Ofelia a su aposento. Tendría sus defectos pero, al fin, era madre.

—Todavía no me has dado un solo rizo, Eva —dijo Santa Clara, mirando a su hija fijamente.

—Todos son para ti. Para ti y para mamá. A tía Ofelia también le entregáis alguno... Voy a preguntarte una cosa, papá: ¿eres cristiano?

—¿Cómo se te ocurre pensar eso?

—No lo sé con certeza, pero eres tan bondadoso que supongo que tienes que serlo por fuerza.

—¿Qué consideras que es el ser cristiano?

—Amar a Dios sobre todas las cosas.

—¿Así le amas tú, Eva?

—¡Sí!

—¿A pesar de que no le has visto nunca?

—Me basta con creer en él. Dentro de poco conseguiré verle.

Santa Clara descubrió que aquellas palabras de su hija que esperaba que avivaran su terrible dolor, le causaron el efecto contrario, es decir, se lo colmaron casi por completo, envolviéndole en una suave conformidad.

Desde aquel día, Eva se agravó más. A nadie cupo la menor duda de que el triste y fatal desenlace se hallaba próximo. Tom solía tomarla en sus brazos y, en los días soleados, la sacaban al jardín y se llegaban hasta el lago, donde se sentaban y el tío Tom le cantaba sus himnos predilectos. A veces, era Santa Clara quien la llevaba, pero como era menos vigoroso que Tom, Eva le decía sonriendo, cuando le oía respirar sofocado, que la dejara en brazos del esclavo.

Días más tarde, Tom eligió la galería para pasar las noches, olvidándose del lecho que le aguardaba en su cuarto, para así velar mejor a su señorita.

El desenlace tuvo lugar una noche en que Ofelia se hallaba en la habitación, vigilando su sueño. Advirtió que empeoraba a ojos vistas y salió al pasillo, donde halló a Tom en el mismo umbral, impaciente por haber presentido que algo anormal sucedía.

—Tom, vete corriendo a avisar al doctor.

El negro partió velozmente. Entonces Ofelia se dirigió a la puerta de su primo, llamándole.

—Agustín, ven pronto...

El padre oyó aquellas palabras con la terrible evidencia sobre su corazón de que anunciaban el final. Instantes después se encontraba junto al lecho de Eva, que seguía adormecida, y allí permaneció, inmóvil como una estatua, mirando con fijeza aquel divino rostro.

Luego vino el doctor y, tras él, Tom. Al ruido de las pisadas acudió María.

—¿Qué sucede? ¡Decídmelo! —exigió histérica.

—Está muriéndose —susurró su esposo.

La noticia corrió lentamente por toda la casa, como un soplo fantasmal, y pronto todos los esclavos se reunieron en los alrededores de la habitación. El único que no se dio cuenta de ello fue Santa Clara, atento al menor movimiento de la chiquilla.

—Si pudiera hablar algo —pensó—. Decirme unas últimas palabras...

Se inclinó sobre Eva y susurró:

— ¡Mi amada Eva!

Ella lo oyó y abrió con esfuerzo sus ojos azules, y le sonrió:

— ¡Querido papá!

Intentó alzar los brazos para abrazar a su padre por última vez, pero las fuerzas le faltaron y sus bracitos cayeron sobre la cama como dos tablillas inanimadas, mientras la niña luchaba afanosamente por respirar. Agustín, sin poderlo resistir, se volvió y tomó entre las suyas las manos de Tom, que allí se encontraba. Cuando cobró ánimos y miró de nuevo a su hija, del rostro de ésta había desaparecido toda señal de agonía: una dulce paz lo invadía.

—¿Qué ves, Eva? —le preguntó el padre, suavemente—. ¿Puedes decirnos lo que ves?

La niña tardó un poco en responder, como si tuviera que contestar desde muy lejos...

— ¡Oh, amor, bondad, paz...! —dijo, por fin.

Emitió un ligero suspiro y quedó completamente inmóvil. El fin había llegado.

Capítulo X

DIAS TRISTES

E l silencio más completo se cernió sobre la mansión de Santa Clara. Todos sus habitantes llevaban marcada en sus rostros la huella del más intenso sufrimiento. Especialmente, Agustín parecía una sombra viviente. Sólo, cuando volvieron del entierro, se oyeron los gritos enfermizos de María requiriendo angustiosamente los cuidados de familiares y sirvientes. Fue llamado el doctor, le aplicaron paños calientes y todo este movimiento sirvió para que se olvidaran todos momentáneamente de la tragedia.

Quizá los únicos a los que nada pudo distraer de su dolor fueron Agustín y Tom. Este observaba atentamente a su amo y varias veces le vio con la Biblia de su hija ante sus ojos, leyéndola, o, por lo menos, acariciando con su mirada aquellas páginas que tan queridas fueron para su hija. Tom descubría en el rostro silencioso del padre, más dolor que en los gritos de la madre.

Santa Clara decidió volver a la ciudad, y se ocupaba en recorrer las calles de Nueva Orleans mezclándose en el bullicio y discusiones, ansiando mitigar su pena. Nadie hubiera dicho que aquel hombre sonriente y hablador ocultaba en lo más hondo de su corazón una irremediable tragedia.

María criticaba abiertamente aquella actitud de su esposo comentando con Ofelia que le creía más sensible.

—Las aguas tranquilas son frecuentemente las más profundas —le contestó la prima.

No, Santa Clara no lloraba, era verdad, pero se pasaba horas y horas en su sillón con la Biblia de Eva en sus manos, y así le encontró un día Tom.

—¡Ah, Tom! —exclamó Agustín—. Noto que sólo hay vacío a mi alrededor.

Tom miró a su amo con cariño: él también sabía algo de lo que duelen las separaciones.

—¿Por qué no alza el pensamiento y trata de ver a la señorita Eva en los cielos? —le insinuó el esclavo.

—Ya lo hago, Tom, pero no encuentro más que oscuridad.

Tom deseó entonces como nunca poseer la suficiente instrucción como para hablar a su amo y convencerle de la verdad. Pero, ¿qué podía hacer él?

—Es que no puedo creer, Tom —suspiró Agustín abatido.

—Ruegue al Señor para que le ayude.

—¿Cómo sabes que hay Dios?

—Lo siento dentro de mí. El me ayudó cuando fui vendido. Me dijo: "Valor, Tom". Y yo cobré nuevas fuerzas y lo resistí todo.

Las palabras de Tom encerraban tal convencimiento y vio Santa Clara que su mirada era tan suplicante y conmovida, que no pudo por menos que apoyar la cabeza en su hombro y tomar aquella recia mano tan negra pero tan fiel.

—Creo que soy indigno de que me ames tanto —le dijo, moviendo tristemente la cabeza.

—Es que no sólo le amo yo, señor... Jesús, desde el cielo, también le ama.

—Es sorprendente cómo un hombre muerto hace mil ochocientos años sea capaz de encender tales amores —comentó pensativo Santa Clara—. Es que no podía ser sólo un hombre... ¡Cuando era yo niño sabía rezar!

—Pues rece, rece conmigo, señor —le suplicó Tom, rebosante de gozo.

Santa Clara asintió y los dos hombres se arrodillaron y Tom oró de tal modo que su amo sintió que se elevaba al cielo. Y experimentó la viva sensación de estar cerca de Eva.

Con el tiempo la existencia retornó a su cauce habitual. El imperativo del diario vivir obliga a la mente a olvidarse o, cuando menos, relegar los graves problemas, y ello acaso constituya un medio de hacer más soportable la vida.

No obstante, como Santa Clara había cifrado toda su ilusión en su desaparecida hija, se encontró a falta del más ligero estímulo para sus acciones. Pero sucedía que cuando sufría uno de esos períodos de crisis aguda motivados por el dolor, presentía que, desde el cielo, una manita trataba de guiar sus pasos en la tierra. Y, de este modo, se imaginaba no estar tan solo.

Por otra parte, había cambiado bastante. Ahora leía aquella Biblia que pertenecía a su hija y que parecía poseer la virtud de acercarle al cielo donde se hallaba. Su trato para con los esclavos mejoró, si es que podía suceder tal cosa en un amo que siempre se portó con ellos bondadosamente. Según lo prometido a Eva, comenzó a realizar las gestiones necesarias para conseguir la libertad de Tom, al que ya consideraba como verdadero amigo, entre otros varios importantes motivos porque sabía lo mucho que su pequeña le había querido.

—Puedes ir preparando tu maleta, Tom —le dijo un día—. Pronto te encontrarás en Kentucky.

—¡Bendito sea Dios! —exclamó Tom, y Santa Clara experimentó honda pena al advertir aquella alegría.

—¿Tan mal te he tratado? —le preguntó sin poderlo remediar.

—No es eso, señor. Me alegra porque seré un hombre libre.

—¿Y has pensado si con esa libertad podrás conseguir la comida, ropa, calzado y demás cosas que se te han concedido estando en esclavitud?

—No me importa, señor —respondió Tom muy serio—. Prefiero pasar hambre y vivir en una mísera cabaña que pueda llamar mía, a todos los bienes que me den obligándome a ser esclavo. Creo que es un sentimiento muy natural en un hombre, señor.

—Tienes razón, Tom —admitió Santa Clara—. Te felicito por tu libertad.

—Veo que el señor se queda triste. No me separaré de su lado hasta que desaparezca su dolor.

—¿Y cuándo sucederá esto? —sonrió tristemente Santa Clara.

—Cuando se haga cristiano.

—¿Y vas a estar esperando hasta entonces? ¡Oh, no! Sería exigirte demasiado. Ve con tu mujer e hijos.

Desde la muerte de Eva, su madre hacía insoportable la vida a la servidumbre, especialmente a Mammy, ya que antes la anciana negra tenía en la chiquilla una excelente defensora. La pobre mujer, cada vez con más años y menos fuerzas, estaba desesperada de tener que soportar las veleidades de su señora.

Ofelia mejoró su trato para con Topsy, pues descubrió en ella cualidades ignoradas que Eva había puesto de relieve. Y ahora se hallaba más convencida que nunca de que la "cristianizaría" del todo.

Tanto interés llegó a tomarse por ella, que un día preguntó a su primo:

—A quién pertenece Topsy, ¿a ti o a mí?

—Recuerda que te la di.

—Pero eso fue una cesión sin legalizar. Y yo necesito poseer el documento correspondiente.

—¡Por Dios, Ofelia! —exclamó sonriendo Santa Clara—. ¿Qué dirían los abolicionistas si se enterasen? Como quieras: legalizaré la entrega.

—Desearía que lo hiciéramos ahora mismo,

—¿Por qué tan rápidamente?

—Lo que podamos hacer hoy no debemos dejarlo para mañana —replicó Ofelia muy decidida—. Vamos, ahí tienes papel, pluma y tinta. Muévete.

Santa Clara no estaba acostumbrado a trabajar cuando no le satisfacía. Aquella especie de imposición no le agradó en absoluto.

—¿Es que no te fías de mi palabra? —protestó.

—Me gusta hacer siempre bien las cosas. Si fallecieras o te arruinaras, Topsy sería vendida en el mercado.

Santa Clara hubo de admitir que tenía razón. Y extendió y firmó el documento correspondiente, que Ofelia leyó y guardó con todo cuidado.

Si Santa Clara pensó que con aquello se libraba de su prima estaba muy equivocado. Ofelia volvió nuevamente al ataque, cuando él había comenzado la lectura de un periódico.

—¿Qué va a ser de tus esclavos después de tu muerte? —quiso saber, y aguardó la respuesta.

—Hoy estás muy fúnebre —exclamó Santa Clara—. Ya he pensado en arreglar el porvenir de todos ellos. Lo haré un día de éstos.

Y se levantó del sillón y salió de la estancia, dando por zanjada definitivamente la cuestión.

Aquella tarde, después de comer, mientras María dormía bajo un mosquitero y Ofelia hacía calceta, Santa Clara se dirigió al piano e improvisó algunos compases impregnados de melancolía. Luego sacó de un cajoncito un libro de apuntes, lo abrió y lo hojeó cuidadosamente.

—Este, Ofelia —dijo—, es un cuaderno que perte-

neció a mi madre. Reconozco su letra. Copió y arregló
un fragmento del "Requiem" de Mozart. Yo se lo es
cuché muchas veces.

Después de una introducción muy grave, Sant
Clara inició el canto del himno latino "Dies irae". Uno
de los más impresionados fue Tom, que escuchaba
sentado en la galería. Aquel himno le pareció que eran
sus oraciones convertidas en música. Al concluir, Santa
Clara se levantó y comenzó a pasear por la habitación
nerviosamente.

—¡Qué impresionantes son estos temas sobre la
vida eterna, el Juicio Final, los castigos de Dios! Yo en
tiendo el cristianismo como una denuncia de cuanta
injusticia existe en el mundo. Jamás he sentido tentacio
nes de luchar contra la sociedad por remediar algo mal
hecho. Pienso preocuparme de mis esclavos algo más de
lo que he hecho hasta aquí. Y, más adelante, trataré de
que los demás amos sigan mi ejemplo.

—¿Esperas que nuestra nación deje en libertad a
todos sus esclavos? —le preguntó Ofelia.

—¿Por qué no? Aunque no bastará con concederles
esa libertad con la que tanto sueñan. Debemos educarles
convertirles al cristianismo. Y luego, recibirles como a
iguales, como a amigos...

Santa Clara se detuvo y se pasó la mano por la
frente.

—No sé lo que me pasa hoy —comentó—. Voy a
dar una vuelta por la ciudad.

Tom le siguió hasta la misma puerta.

—¿Quiere que vaya con usted, señor? —insinuó.

—No, Tom. Volveré en seguida.

El esclavo regresó a la galería y se sumió en los
agradables pensamientos derivados de su próxima libe
ración. Ya se veía entre los suyos, trabajando la tierra
para alimentarlos. El se encargaría de rescatarlos tam

ién. Tom probó sus músculos para averiguar si la sclavitud le había debilitado. No, estaba tan fuerte omo antes; tía Clotilde y los suyos no pasarían hambre. Así soñando, quedó dormido.

De pronto fue despertado por fuertes voces que onaban en la calle. Se levantó. abrió la puerta del patio entraron en silencio varios hombres portando una amilla en la que iba un cuerpo cubierto con una capa. olamente quedaba visible su faz y Tom, al verla, lanzó n grito de horror.

Sucedió que Santa Clara había penetrado en una aberna en la que se hallaban peleando dos hombres. uiso separarles y desarmar a uno de ellos, que sacó na gran navaja; y el golpe que iba destinado al rival, ） recibió Agustín en su cuerpo.

Se originó un gran revuelo en la casa. Sólo se con- ervaron serenos Ofelia y Tom, pues María fue presa e otro ataque de nervios. Se dispuso rápidamente un ofá, donde fue colocado el inanimado cuerpo que, abía perdido ya mucha sangre. Gracias a los cuidados e Ofelia recobró pronto el conocimiento, y lo primero ue hizo fue mirar el retrato de su madre.

Le examinó el doctor y, al alzarse, su rostro ex- resó a los asistentes que no cabía alentar la menor esperanza. Seguidamente, ayudado de Ofelia y Tom, le colocó el primer apósito.

—Deben salir ahora todos —ordenó el médico.

Los esclavos se hallaban desolados. Antes de que abandonaran la estancia, Santa Clara susurró:

—¡Sólo Dios sabe lo que será de esos pobrecillos!

Tom no había salido, y el moribundo volvió sus ojos a él y colocó su mano en la de su sirviente.

—¡Me muero, Tom...! ¡Reza por mí!

Y el esclavo, entre gritos y lágrimas, oró por aquella alma que iba a presentarse al Señor.

No dejó de apretar Santa Clara la mano del negro aun cuando éste cesó en su oración. Siguió oprimiéndola sin ninguna reserva, como si fuese la de un igual, como si no la considerase ya negra, ya que en los últimos momentos de la vida la verdad irrumpe en las mentes, y la verdad que fue revelada a Santa Clara fue que todos los hombres son hermanos.

Ofelia estuvo segura de que le oyó pronunciar frases del "Requiem" de Mozart, recordando indudablemente a su madre y, por encima de ella, a Dios.

—Está delirando —susurró el médico.

—Se equivoca, doctor —exclamó Santa Clara, con una energía de la que nadie le creía ya capaz—: es que mi razón vuelve al lugar del que salió... ¡Con qué ansia he buscado este momento!

Aquel esfuerzo agotó sus últimas reservas. Volvió la cabeza y una palidez mortal cubrió su rostro. Tom sintió que la mano que sujetaba la suya cedía y en ese momento experimentó la sensación de que acababa de perder no a un amo, sino a un amigo.

Capítulo XI

LA ESPANTOSA ESCLAVITUD

A partir del fallecimiento de Santa Clara cambiaron muchas cosas en la casa, especialmente el trato humano que se daba a los negros. María se alzó en gran señora y no permitió la menor equivocación ni la más suave réplica. Todos los esclavos vivían sobre ascuas, pensando con temor en el destino que les depararía la suerte.

—Creo que el ama nos va a vender a todos —dijo un día con los ojos desorbitados Adolfo a Tom.

—¡Hágase la voluntad del Señor! —murmuró Tom.

Una muestra de lo que sucedía en la casa fue lo acaecido a Rosa. Se hallaba probando un vestido nuevo a su ama cuando ésta le dio un bofetón y la esclava, sin poder contenerse, dirigió unas palabras que no agradaron a María, la cual, furiosa, escribió algo en un papel y ordenó a Rosa que lo llevara a una casa de castigo. Estas casas se ocupaban de azotar a los esclavos a quienes sus amos castigaban pero no querían aplicarles el correctivo por su propia mano.

Rosa corrió a suplicar a Ofelia que la ayudase, explicándole lo sucedido. Y Ofelia se plantó ante María, censurándole aquella actitud suya tan cruel.

—Sólo le van a aplicar quince azotes, y he indicado que sean suaves —dijo María, malhumorada por la intromisión—. A los esclavos hay que tratarlos duramente para que no se rebelen contra nosotros.

Ofelia comprendió que toda discusión con ella era inútil y salió de la habitación.

Pocos días después fue Tom a su encuentro...

—Señorita Ofelia —empezó diciendo el negro—, el señor Santa Clara prometió, poco antes de morir, concederme la libertad. Ya había comenzado a realizar las gestiones necesarias para ello. Yo le suplico, señorita, que hable con el ama para que ella se preocupe de mi caso.

—Lamento decirte, Tom, que no confío en absoluto en la señora Santa Clara.

Sus temores se cumplieron. Habló a María sobre la libertad de Tom y la dama respondió vivamente:

—El destino de ese negro está decidido. Vale demasiado y no puedo desprenderme de él y perder lo que no estoy en situación de desperdiciar. Por otra parte, ¿para qué quiere la libertad?

—Todos la desean —replicó Ofelia—. Es natural que así sea. Y no olvide usted que su esposo prometió a Eva, poco antes de morir, que libertaría a Tom. Que caiga sobre su conciencia esta promesa incumplida.

María consideró oportuna una de sus crisis de llanto. Y estalló en sollozos inconsolables, mientras destapaba nerviosamente su frasquito de esencias y exclamaba:

—¡No tengo más que enemigos a mi alrededor! ¡Jamás pude pensar eso de usted, Ofelia!

Esta suspiró, y como sabía que sus llantos, a veces, duraban horas, dio la media vuelta y salió, reuniéndose con Tom y realizando por él lo único que estaba en su mano: escribir a la señora Shelby explicándole la situación en que se encontraba su antiguo esclavo, y solicitando ayuda.

Los acontecimientos no se hicieron esperar. Al día siguiente eran llevados al almacén de esclavos Tom, Adolfo y seis negros más, para ser vendidos al mejor postor.

El tal almacén no era un lugar inmundo sino una casa como cualquier otra, donde los esclavos eran alimentados decentemente para que no desmejorasen y bajasen de precio. Había una amplia sala, en la que fueron dejados los ocho negros de Santa Clara, junto a otros muchos que aguardaban la misma suerte.

—¡Ea, quiero ver caras alegres! —exclamó Sheggs, dueño del almacén—. Es mejor para vosotros que estéis siempre sonriendo como Sambo.

Y, al decirlo, miró a un enorme negro, muy grueso, que se divertía realizando gestos y ademanes que pretendían ser divertidos. Se llamaba Sambo. Al descubrir a Tom, que permanecía pensativo en un rincón, sentado sobre su maleta, se dirigió a él y le preguntó:

—¿Qué piensas? Parece que no te gusta este sitio.

—Dicen que me van a vender mañana —dijo tristemente Tom.

—Puedes apostar a que eso será, precisamente, lo que te suceda —declaró jovialmente Sambo—. ¿Viene éste contigo?

Se había aproximado a Adolfo y colocó una mano en su hombro.

—¡No me moleste! —exclamó Adolfo, furioso.

—Algunos negros sois muy quisquillosos —rió Sambo, comenzando a realizar extraños gestos que pretendían imitar los movimientos de Adolfo. Este, no pudiéndose contener, saltó sobre el guasón y ambos se enzarzaron en una pelea jaleada por muchos de los presentes. Al alboroto acudió Sheggs esgrimiendo su látigo.

—Estos que han llegado nuevos son unos buscapleitos —dijo Sambo, cuando, ante la presencia del jefe, los contendientes se separaron.

Lanzando un gruñido, Sheggs avanzó y abofeteó a Tom, a Adolfo y a algún otro negro, culminando su "heroica" acción con unos puntapiés.

—Eso es para que os portéis debidamente —advirtió; y salió muy ufano.

El local habilitado para las mujeres era de parecida índole. Negras de toda edad se amontonaban incómodamente en espera del momento de la venta. Entre ellas se encontraba una mulata llamada Susana y una hija suya, Emelina, ambas de aspecto delicado, ya que pertenecieron a una dama bondadosa que apenas les hizo trabajar y, además, las había educado debidamente. El motivo de haber sido vendidas se debía a que el hijo del ama había derrochado todo el capital, por lo que resultó forzoso desprenderse de aquellas dos esclavas que formaban parte de los bienes muebles de la familia.

Al siguiente día, Sheggs se introdujo en los almacenes para girar una visita de inspección con vistas al mejor aspecto de su mercancía.

—¿Dónde están los bucles de esta muchacha? —preguntó, deteniéndose ante Emelina.

—Hice que se peinara con el pelo liso —explicó temerosa la madre.

—¡Qué sandez! —dijo Sheggs con violencia—. Quiero que se peine de nuevo y aparezcan esos bucles que harán que los caballeros ofrezcan más dinero por ella.

La subasta se realizó en una especie de galería con suelo de mármol. Asistía gente de todas las clases sociales. Había también tribunas para que los tasadores fueran oídos y vistos por todo el mundo y conociera los méritos y virtudes de cada esclavo en venta. A aquel lugar fueron llevados Tom, Adolfo y otros desgraciados.

Poco antes de que comenzase la subasta se abrió camino a codazos un sujeto robusto y violento, de cejas espesas y enormes manos, que se llegó hasta Tom y le examinó detenidamente, primero los dientes, luego sus músculos y finalmente le preguntó de dónde procedía.

—De Kentucky —respondió Tom quedamente.

—¿A qué te dedicabas?

—Trabajaba en la posesión de mi amo.

—Cualquiera se fía de vosotros —gruñó el desagradable individuo arrojando al suelo parte del tabaco que mascaba. Luego se detuvo ante Emelina y también la estudió, ante el horror de su madre.

Comenzó la subasta. Los esclavos de Santa Clara, de aspecto excelente, en seguida encontraron comprador. Adolfo fue a parar a manos de un hombre que había expresado su deseo de hacerse con un mayordomo. Tom, como él temió, fue adquirido por el sujeto de las cejas tan pobladas, quien también consiguió a Emelina que, de este modo, fue separada de su madre, comprada por otro caballero. Los gritos de Susana se siguieron oyendo mucho después de concluída la inhumana subasta...

Aquella misma noche Tom se encontró navegando, cargado de cadenas, en el fondo de un pequeño barco.

Su nuevo amo se llamaba Simón Legrée. Había adquirido ocho esclavos en diversos mercados de Nueva Orleans, todos los cuales viajaban ahora en el barco, tan fuertemente encadenados como Tom. A éste había obligado Legrée a despojarse de sus buenas ropas y calzado, que pasaron a propiedad del negrero, quien le entregó otras prendas viejas y sucias. Al revisarle la maleta encontró en ella un librito de himnos religiosos que Tom no tuvo tiempo de ocultar, como hizo con la Biblia.

—Parece que eres creyente, ¿no? —preguntó despectivamente Legrée.

—Sí, señor —respondió firmemente Tom.

—En mi casa te desaparecerán esas malas costumbres. Mis negros no rezan.

Luego se dirigió al lugar que ocupaba Emelina, junto a otra negra de más edad. Legrée miró a la muchacha sonriendo desagradablemente, y ella le volvió el rostro, amedrentada, y lo ocultó en el pecho de su compañera de cautiverio.

—Eso no me gusta nada —exclamó el jefe de mal humor—. Quiero ver siempre caras alegres.

Miró a Tom y alzó el puño cerrado.

—¿Veis este puño? —continuó, con una sonrisa siniestra—. Contempladlo bien. Ha golpeado a tantos negros que parece de granito. Conmigo no os valdrán las artimañas. Mucho trabajo y obediencia es lo que exijo. Sólo de este modo nos llevaremos bien.

El breve pero significativo discurso dejó a los esclavos aterrorizados. Si mala era la esclavitud, adquiría tintes de tragedia cuando el negro quedaba bajo la férula de un amo brutal como aquél.

El barco, con su carga de dolor, siguió remontando el río Rojo, y finalmente alcanzó un pueblo donde Simón Legrée desembarcó con toda su mercancía.

* * *

En seguida organizó el negrero la expedición hacia sus posesiones. Instaló sin muchas contemplaciones a Emelina y a la otra mujer en el interior de una carreta, subió él al pescante y dejó que los demás negros les siguieran, perfectamente encadenados, naturalmente.

El paisaje que recorrían era desolador, de tierras estériles salpicadas de oscuros y raquíticos pinos, entre los que serpenteaban los reptiles venenosos. Tom y sus compañeros se movían como sombras, sabiendo que caminaban hacia un infierno. Sólo se veía en aquel grupo una sonrisa, la de Legrée, y ella gracias al infalible medio de saborear más que frecuentemente el contenido de una botella de aguardiente.

—No estés triste, muchacha —dijo el negrero a su esclava Emelina—. Te aseguro que en tu mano está el vivir como una señora, sin apenas trabajar; sólo has de portarte bien conmigo. ¿Lo entiendes?

Pero Emelina se estremeció y se apretó más contra el cuerpo de su amiga.

Horas después llegaron a la plantación, que ofrecía un aspecto lamentable. En otro tiempo fue una propiedad tan hermosa como las demás del Sur, pero su dueño la vendió al arruinarse, siendo adquirida por Legrée con el solo objeto de obtener de ella el mayor provecho posible, por lo que descuidó todo lo que tendiera al embellecimiento, preocupándose exclusivamente del factor rendimiento. En la actualidad la mansión aparecía con las señales claras de haber permanecido abandonada durante años, lo mismo que sus extensos jardines.

Una jauría de feroces perros salieron al encuentro de los recién llegados, y habrían destrozado a los negros de no haber sido contenidos por otros esclavos de aspecto depauperado.

—Estos perros serán vuestros guardianes —notificó Legrée a su mercancía—. Cuidado con ellos, pues están habituados a la caza del negro... y les entusiasma el deporte.

Seguidamente se volvió a un negro que le miraba y le preguntó:

—¿Qué tal ha ido todo en mi ausencia, Sambo?

—Muy bien, señor —respondió el aludido.

—¿Has cumplido todo lo que te dije, Quimbo?

—inquirió Legrée de otro esclavo que estaba junto al primero.

—Todo está a punto, señor.

Sambo y Quimbo eran los capataces de Simón Legrée, que había conseguido transformarlos en seres tan crueles como él mismo. Los demás esclavos los odiaban, y ellos mismos se odiaban entre sí, y de este modo el amo conseguía enterarse de todo cuanto sucedía en la plantación, al recibir las denuncias de unos y otros.

El grupo de negros fue conducido al lugar donde se alzaban lo que en la plantación se denominaban cabañas y que no eran otra cosa que unos agujeros rodeados de cañas con el piso de paja seca y endurecida por el uso.

A Tom se le cayó el alma a los pies. Había esperado encontrar una habitación sencilla, sí, pero apta para haber admitido los arreglos que él se hubiera preocupado de realizar. Y lo que vio era imposible de remediar, y ni siquiera dispondría de una mesita rústica donde apoyar su Biblia.

—¿Qué choza es para mí? —preguntó a Sambo, que le guiaba.

—No lo sé. Tenemos que meter en cada una a tantos esclavos que no me imagino cómo vais a caber los nuevos.

A hora muy avanzada de la noche empezaron a llegar los trabajadores negros del campo, vestidos de andrajos y con rostros malhumorados y denotando la espantosa fatiga que los consumía. Marchaban a su trabajo al amanecer y en los campos permanecían hasta la puesta del sol bajo el látigo de los capataces. La operación de recolectar algodón era horrible, no por la clase de trabajo, precisamente, sino por el excesivo número de horas que se obligaba a emplear en él a los esclavos.

Al finalizar la terrible jornada los desgraciados debían prepararse su propia comida moliendo el maíz a brazo para hacer las tortas.

Tom vio cómo los que iban a ser sus compañeros de tarea se pelearon por apoderarse de los molinos para tener cuanto antes dispuesta su torta de maíz y aplacar el hambre. El dolor y el sufrimiento habían embotado sus sentidos y convertido en seres selváticos obsesionados por la supervivencia. Luchaban entre sí y los más fuertes fueron los que se apoderaron de los molinos y los que en primer lugar pudieron ocupar sus lugares en las pajas para dormir y reponer sus agotadas fuerzas.

A Tom le fue entregada una ración de maíz y se dirigió a la fila de negros que aguardaba el turno para moler. Detrás de él vio a dos mujeres de cierta edad, cuyos demacrados rostros hablaban expresivamente de la necesidad que tenían de alimento. Tom se compadeció

de ellas y no solamente les cedió su sitio sino que se encargó de moler su maíz y de asar las correspondientes tortas al fuego de unas brasas. Solamente cuando las mujeres comenzaron su cena, él se dirigió al molino a transformar en harina sus granos.

El sencillo acto de caridad emocionó profundamente a las esclavas, por ser algo nuevo en aquel infierno de negros embrutecidos.

Después de cenar, Tom se sentó junto a ellas y sacó su Biblia, ansiando hallar consuelo en ella.

—¿Qué libro es ése? —le preguntó una mujer.

—La Biblia —respondió Tom.

—¿Y qué dice?

Tom la miró asombrado. Era evidente que no conocía el sagrado libro. Y, abriéndolo, les leyó lo siguiente:

—"Venid a mí, vosotros que trabajáis y gemís bajo el peso de vuestra carga, y yo os daré el reposo de vuestras almas".

—¡Cuánto me consuela eso que dice! —exclamó la pobre mujer—. ¿Cómo se llama el que habla?

—Dios —musitó Tom.

—¿Y dónde está? Me gustaría acercarme a El y contarle todas mis calamidades.

—El se halla aquí y en todo lugar.

El cansancio obligó a suspender aquella sesión de apostolado, pero Tom se dirigió a su choza con la sensación de haber acercado a dos almas al Señor. Estuvo tentado de dormir a la intemperie, pero el excesivo frío le empujó al interior del insuficiente recinto, donde se amontonaban los hombres y le costó gran trabajo encontrar un sitio donde tumbarse y dormir.

En los días siguientes Simón Legrée conoció que Tom era un esclavo fuera de lo normal y decidió ascenderle a la categoría de capataz. Sólo encontró un inconveniente: que parecía excesivamente bondadoso.

Pero se dijo que él se encargaría de convertirlo en un capataz que supiera usar el látigo.

Poco tiempo después Tom descubrió entre los esclavos a una mujer a la que no había visto antes; una mulata de unos treinta y cinco años, alta y de aire altivo, aunque los trabajos y el mal alimento la habían casi destruído físicamente. ¿Quién era? Tom no lo sabía. Caminaba a su lado, orgullosa y erguida, sin hablar con nadie, y en el trabajo se mostraba sumamente eficaz, pues desmotaba algodón con vertiginosa rapidez.

Tom siempre procuraba colocarse junto a la mulata que fue adquirida al mismo tiempo que él, para así ayudarla; ella era incapaz de llenar la cesta que se les exigía y Tom, de vez en cuando, se acercaba a ella y arrojaba algodón del suyo a la otra cesta.

—Por favor, no lo haga —le suplicó la mulata, asustada—; le van a descubrir.

En efecto, allí apareció de pronto Sambo, con su inseparable látigo. Siempre había mostrado una especial animosidad hacia aquella mujer. Sambo propinó un puntapié a Tom y le golpeó el rostro con el látigo. Al verlo la mulata, adivinando lo que la esperaba, se desmayó.

—Yo haré que vuelva pronto a su trabajo —exclamó Sambo, sonriendo ferozmente.

Y se hizo con un alfiler y lo sepultó brutalmente en el cuerpo de ella, que gritó y se puso en pie con una energía sorprendente.

—Cuida de no hacer tonterías si no quieres que te aplique algo que te hará desear la muerte —le advirtió Sambo, agitando su látigo.

—Ya la deseo —susurró ella.

Tom, que se hallaba aún cerca, suspiró: "¿Por qué no acudes en nuestra ayuda, Señor?".

Se alejó Sambo y Tom, nuevamente, se aproximó

a la desgraciada y, esta vez, vació su saco de algodón en el de ella.

—No se preocupe por mí —musitó Tom—. Soy más fuerte que usted y lo podré llenar.

La acción fue observada por la otra mulata, la desconocida, que miró a Tom fijamente con sus enormes ojos negros. Luego se aproximó a él y, después de pasar algunos puñados de algodón de su bolsa a la de él, le dijo:

—Usted hace esto porque desconoce el lugar en que se halla. Cuando transcurran varias semanas lo habrá averiguado... si es que vive para entonces.

—Espero que no suceda eso, señora —dijo Tom otorgando a la mujer desconocida aquel título que solamente se empleaba para dirigirse a las dueñas.

—Estamos abandonadas de la mano de Dios —susurró ella, al tiempo que observaba que el capataz se aproximaba; Sambo había descubierto la donación de algodón y amenazó a la mulata:

—Tenga en cuenta que ahora se halla bajo mis órdenes y puedo castigarla a mi modo.

El rostro de la mujer se endureció.

— ¡Miserable! —exclamó—. ¡No te atreverías a usar tu látigo contra mí! Sabes que con una palabra puedo hacer que te destrocen los perros o te quemen vivo.

—En ese caso, ¿por qué ha vuelto? —preguntó Sambo, pero su mirada reflejaba temor y retrocedió lentamente—. No era mi intención hacerla daño, señorita Cassy.

Sambo desapareció de aquellos lugares y el trabajo continuó a ritmo acelerado, para recuperar el tiempo perdido. Al finalizar el día, la mulata llamada Cassy había llenado con holgura su cesta, a pesar de haber entregado a Tom algunos puñados más de algodón.

Después, los esclavos se dirigieron cabizbajos y

agotados al departamento donde iba a ser pesado el algodón recogido durante el día. Simón Legrée los aguardaba con una sonrisa siniestra.

—Ese Tom ha entorpecido los trabajos —dijo Sambo al oído del amo—. Se ha empeñado en entregar algodón a Lucía, que ha trabajado menos que nunca.

—¡Yo le enseñaré a obedecer! —exclamó Legrée—. Vosotros os encargaréis de ello.

Las expresiones de Sambo y Quimbo denotaron que les entusiasmaba el cometido.

—He de obligar a Lucía a trabajar a fuerza de latigazos —agregó el negrero, iracundo—. Y será el mismo Tom quien se los administre.

—Tengo que decirle, mi amo —declaró Sambo—, que también la señorita Cassy la ha ayudado. En otro caso, Lucía no habría alcanzado el peso debido.

—Yo me encargaré de pesar su cesta —dijo Legrée, y en aquel momento comenzaron a entrar los esclavos, dando principio a la temida operación del pesado. Legrée iba anotando en una pizarra, al lado del nombre de los interesados, el peso de su cesta de algodón. La de Tom dio el exigido y se retiró a esperar impaciente lo que sucedería con Lucía. El mismo Legrée comprobó que el algodón presentado por la mulata rebasaba el peso, pero el amo simuló que no era así y la apostrofó:

—¡Hoy has traído menos que nunca! Espera a un lado y te daré lo que mereces.

Llegó Cassy y entregó su cesta con aire retador, sosteniendo la burlona mirada del amo. Ella, entonces, le dijo algo en francés, operándose en Legrée una transformación súbita, pues su rostro pareció la máscara de la ira. Alzó la mano para abofetearla, pero Cassy, indiferente, siguió su camino.

Simón llamó a Tom y le dijo:

—He decidido ascenderte y aliviarte del rudo trabajo

en la plantación. Serás capataz. Pero has de aprender algunos detalles del oficio y he pensado que hoy es una buena ocasión para ello. Toma el látigo y practica con Lucía. Merece un buen castigo.

—Yo no sé hacer eso, señor —se excusó Tom, horrorizado ante la idea de azotar a un ser humano—. No puedo hacerlo.

—¡Yo te he de enseñar muchas cosas! —rugió el patrón, cogiendo un enorme y tosco zapato y golpeando con él el rostro del esclavo, abofeteándole después—. ¿Sigues negándote a obedecerme?

—Me ofrezco para trabajar día y noche mientras me sostengan mis fuerzas —musitó Tom, con la faz ensangrentada—. Pero jamás empuñaré el látigo.

El esclavo hablaba dulcemente y a cualquier otro que no fuera Legrée hubiera enternecido. Pero al amo le llamearon los ojos y todos los negros se estremecieron. Lucía murmuró: "¡Señor!". En medio de un siniestro silencio, Legrée masculló colérico:

—¿Quién eres tú para oponerte a mis mandatos, negro inmundo? ¿Cómo te atreves a replicarme?

—Lucía está enferma, señor —insistió serenamente Tom—. Sería cruel golpearla: yo no lo puedo hacer.

La mirada de Legrée brilló como la de una bestia salvaje. Durante unos instantes pareció que iba a acabar allí mismo con Tom. Pero se contuvo y agregó con marcado tono burlón:

—Este hombre viene a predicarnos la Biblia. ¿Pero acaso no sabes que ésta también dice: "Siervos, obedeced a vuestros amos"? ¿Olvidas que he pagado mil doscientos pesos por tu negra piel?

Tocado en su más íntima fibra, Tom dijo:

—Usted sólo ha comprado mi cuerpo. Azótelo o destrúyalo. Pero mi alma es de Dios y sólo Él puede disponer de ella.

—¿Lo crees así? —estalló Legrée—. ¡Yo te convenceré! Vamos, Quimbo, Sambo; cogedle y dejadle sólo cuando sea incapaz de valerse por sí mismo durante un mes.

Los dos hercúleos capataces se apoderaron violentamente de Tom exhibiendo unas sonrisas salvajes, mientras Lucía lanzaba gritos de espanto y los otros esclavos se retiraban asustados. Tom se dejó atar, sin ofrecer la menor resistencia.

Se adelantó primero Sambo blandiendo un látigo y comenzó a descargar sobre el infeliz Tom despiadados golpes; durante algunos minutos restallaron los siniestros latigazos con un ritmo acompasado y fatídico, hasta que el brazo del verdugo, ya cansado, hubo de ceder el látigo a Quimbo, que continuó en su inhumana tarea con mayor celo aún que su compañero.

Pero los labios de Tom no profirieron una sola queja: a imitación de Aquél que en el Calvario ofreció su vida y sus sufrimientos por los pecados de los demás, el noble negro perdonaba a sus verdugos y oraba al Señor por sus compañeros de desdichas y hasta por sus mismos verdugos.

* * *

En un ahogado cuartucho del almacén de Legrée había sido abandonado Tom después de los feroces golpes que sobre él descargaran Sambo y Quimbo. No podía moverse y el cuerpo lo tenía bañado en sangre. Una abrasadora sed le consumía.

— ¡Dame fuerzas, Señor! —susurró, desfallecido.

En ese momento oyó unos pasos y una luz rompió las tinieblas. Era Cassy.

—¿Puede darme un poco de agua? —suplicóle Tom.

La mulata llenó un vaso con agua que traía en la

jarra y se lo ofreció al herido, que lo vació al punto, y luego se bebió tres o cuatro más.

—No es la primera vez que traigo agua a este mismo sitio a esclavos caídos en desgracia.

Seguidamente acomodó a Tom lo mejor que pudo, mientras agregaba:

—Ha sido usted valiente. Pero nada ha conseguido. El es más fuerte y siempre ganará. Es preciso ceder.

—Yo no podía tomar aquel látigo y herir —protestó Tom quedamente, apenas sin voz—. Era imposible ceder.

—Dios nos ha abandonado o está contra nosotros —exclamó con desesperación Cassy—. Nada nos es dado hacer para salvarnos. El amo puede matarnos y nadie nos defendería. El es la ley en esta plantación. Debemos doblegarnos a sus propósitos.

—Ya he perdido todo en esta vida —expuso Tom—: mujer, hijos, un amo que iba a otorgarme la libertad... y no quiero perder el cielo. No puedo ser malo. Es lo que más debemos temer: rendirnos a la maldad.

Cassy contempló a Tom como si aquellas palabras despertaran en su mente adormecidos recuerdos.

—¡Dios mío! ¡Esa es la verdad! —suspiró con hondo dolor—. No soy digna de que usted me mire. Nací en el seno de una familia acomodada y me eduqué en un convento. Pero como era hija de una esclava, cuando mi padre murió fui vendida a un hombre que juró amarme y a quien yo amé. Pero sucedió que se arruinó en el juego y hubo de venderme con mis dos hijos, de los que pronto me separaron y a los que jamás he vuelto a ver. Convertida en esclava y vendida en sucesivas ocasiones, vine a parar con Simón Legrée, junto al que llevo cinco años horribles... De joven, rezaba a Dios y confiaba en El; hoy estoy desesperada y, ya que la muerte no llama a mi puerta, acaso haga que acuda a la de alguno, aunque luego me quemen viva.

Cassy soltó una carcajada demente y se mesó angustiosamente los cabellos durante largo rato, hasta que se aquietó y, pasada la crisis, miró a Tom.

—¿Quiere algo más de mí? —le preguntó dulcemente.

Tom bebió más agua y dirigió a la desdichada madre una mirada llena de compasión.

En la casa de la plantación, Legrée se ocupaba, sosegadamente, en prepararse un vaso de ponche al mismo tiempo que susurraba a media voz, que Sambo y Quimbo habían sido demasiado brutales con Tom, aunque lo lamentaba solamente porque el esclavo no podría trabajar en la plantación durante una semana.

—Ha sido una equivocación —sonó una voz a sus espaldas. Era Cassy, Simón Legrée se sobresaltó, pues aquella mujer le causaba un extraño temor, el mismo que experimentan los torpes e incultos ante los locos.

Cassy había ocupado, hasta la llegada de Emelina,

una situación de privilegio junto al negrero. Pero Legrée, en uno de sus arrebatos, anunció que la mandaría a los campos a trabajar si no le obedecía. Y Cassy, orgullosa, se puso a recolectar algodón el día en que la conocimos, para demostrar a Legrée el desprecio que sentía por él.

En ese momento entró Sambo y entregó a su amo algo envuelto en un papel.

—¿Qué es? —quiso saber Legrée.

—Lo tenía Tom colgado del cuello. Es una de las cosas que los hechiceros dan a los negros para que sobrevivan a los golpes.

El amo desenvolvió aquello con repugnancia y dejó a la vista un peso de plata y un rizo de pelo rubio. El hombre dio un grito de espanto.

—¡Llévatelo, quémalo! —ordenó, aterrorizado—. ¡No me vuelvas a traer objetos endemoniados!

Sambo salió presuroso y Cassy le imitó.

Resultará sorprendente el que un simple rizo pusiera a aquel verdugo en semejante trance angustioso. La explicación está en que Legrée, en su juventud, abandonó a su buena madre y se embarcó para probar fortuna. Años después regresó y ella trató de convencerle para que volviera al buen camino, pues sabía que se había convertido en un hombre sin escrúpulos. Pero Legrée la apartó violentamente, dejándola sin sentido. Semanas más tarde, encontrándose en una de sus habituales orgías, recibió una carta comunicándole que su madre había muerto. El sobre contenía un rizo de pelo de ella.

Atormentado por los remordimientos, el negrero se imaginó que aquel trozo de cabello le acusaba incesantemente, y un día lo destruyó, juntamente con la carta; los quemó, tratando así de librarse de la obsesión. Ese fue el motivo de que recibiera aquel sobresalto al ver el rizo de Evangelina que guardaba Tom.

El negrero se dirigió a una habitación de la que arrancaba una vieja escalera que conducía a los aposentos superiores. Todo estaba muy oscuro y la luna filtraba uno de sus blancos rayos por una ventana. De pronto, Legrée comenzó a oír un extraño cántico que se le antojó lleno de funestos presagios...

"¡Oh! Habrá lamentos, habrá lamentos y más lamentos en la hora del Juicio Final...".

—¡Calla, Emelina, calla! —gritó Simón, mientras gruesas gotas de sudor resbalaban por su frente. Estaba aterrorizado. Creyó ver una sombra blanca y se estremeció pensando que acaso fuera su madre.

—Llamaré a Sambo y a Quimbo para que canten y dancen y aparten de mí estas pesadillas.

Y así lo hizo. Por ello cuando Cassy, a la madrugada, volvió de atender a Tom, oyó el ruido de cánticos de la fiesta. Se acercó a la ventana y vio que tanto Legrée como sus dos negros estaban bebidos.

Les dedicó una mirada llena de rencor y repugnancia pensando que se habían emborrachado porque no podían soportar el pensamiento de su miserable proceder. Aquellos tres hombres parecían no albergar en su pecho el más mínimo sentimiento de humanidad, como si en lugar de hombres fuesen animales feroces.

—¿Pecaría el que librara al mundo de estos miserables? —pensó Cassy.

Después, entró en la casa por una puerta posterior y subió la escalera que conducía al cuarto de Emelina.

Capítulo XII

EL GRAN TRIUNFO

Como se recordará, Tomás Loker fue dejado al cuidado de la abuela de Amariah, llamada Dorcas, y no tardó en recuperar sus fuerzas.

—¿Siguen todavía aquí Elisa y Jorge? —preguntó a la anciana.

—Sí.

—Les convendría partir cuanto antes y cruzar el lago. Y escuche lo que le digo: desearía que escaparan. Aunque sólo fuera por estropear a Marks su negocio. La muchacha debe disfrazarse, pues sus señas figuran en Sandusky.

—Ya nos ocuparemos de eso —dijo la abuela Dorcas, horrorizada por las blasfemias que, para adornar sus palabras, lanzaba Loker.

Todos estuvieron de acuerdo en que podrían ser reconocidos en Sandusky si los fugitivos se presentaban en grupo. Primero salieron Jim y su madre. Dos noches después, Jorge, Elisa y Enriquito, albergándose en una casa cerca del lago, en espera de cruzarlo.

Elisa se disfrazó de hombre, para lo que hubo de cortarse, con harta pena, sus hermosos cabellos negros.

—¿Estoy guapa? —preguntó a su esposo, sonriendo.

—Siempre lo estás —dijo él—. Con pelo y sin él.

—Te encuentro muy triste.

—Estamos a veinticuatro horas del Canadá. Se

acerca el fin de nuestros sufrimientos. Si ahora lo perdiéramos todo, no podría resistirlo.

—Dios no nos habría dejado llegar hasta aquí si nos reservara el fracaso.

Enriquito fue disfrazado de niña, operación que había llevado a feliz término la señora Smith, que se dirigía a la colonia del Canadá y aceptó encantada la misión de convertirse en la tía del chiquillo.

Subieron todos al carruaje que los conduciría al embarcadero, al que llegaron sin novedad. Tampoco sufrieron ningún contratiempo al pasar el barco. Cuando Jorge entró en el despacho del capitán a recoger los billetes, oyó lo que dos hombres hablaban.

—No he quitado ojo de todos los que han entrado en el barco y estoy seguro de que ellos no están —dijo el cajero del barco dirigiéndose a nuestro viejo conocido Marks, que se hallaba allí a la caza de sus presas.

—Tenga en cuenta que la mujer es casi blanca —advirtió el hombre—, y Jorge es un mulato de piel muy clara. Tiene una mano marcada con el hierro.

En aquel momento, Jorge estaba tomando los billetes y su mano se agitó levemente; pero se contuvo, concluyó la operación y salió tranquilamente, reuniéndose con Elisa.

Sonó la campana que anunciaba la partida y nuestros amigos vieron, con la satisfacción natural, que Marks descendía por la pasarela a tierra, con gesto malhumorado. Jorge suspiró hondamente. ¡Se hallaba a salvo!

El día era maravilloso. Las tranquilas y azules aguas del lago Erie reflejaban los brillantes rayos del sol poniendo una colorida nota al magnífico paisaje. Mientras paseaba junto a Jim, Jorge luchaba por mantenerse sereno, ya que todavía temía que sucediera lo peor.

Sin embargo, aparecieron al fin las soñadas costas de la colonia británica, la tierra con el poder suficiente para borrar de un hombre la ignominia de su esclavitud.

El barco se detuvo ante el pueblecito de Amberstberg, perteneciente ya al Canadá; Jorge, rápidamente, reunió los equipajes y, en secreto, estrechó la mano de Elisa que temblaba. Se lanzó la pasarela y los fugitivos bajaron a tierra, en la que permanecieron agrupados y, acaso, inseguros de tanta fortuna. Pero cuando el vapor zarpó, se arrodillaron y elevaron sus plegarias al Señor.

La señora Smith les condujo a la casa de un misionero hospitalario que se dedicaba en aquel punto a ayudar a los fugitivos que llegaban indefensos a aquellas costas. Nuestros alborozados amigos no cesaban de mirarse entre sí, como luchando por convencerse de que no estaban soñando. Carecían de todo, pues lo poco que poseían lo habían gastado en el viaje. Estaban tan pobres como los pajarillos o las avecillas de la naturaleza. Pero eran felices, porque eran dueños del mayor de todos los bienes: la libertad.

* * *

Cassy llegó al cuarto de Emelina y encontró a ésta acurrucada en un rincón, con los ojos desorbitados de terror. Al descubrir quién se acercaba, corrió hacia Cassy y, asiéndola del brazo, le dijo:

—¡Qué alegría verla! Temí que fuera él... ¡Oh, salgamos de este horrible lugar! ¿Ha intentado usted huir alguna vez?

—No, pero sé lo que les ha sucedido a otros que probaron suerte. Legrée los cazó en los pantanos... y no se supo más de ellos.

—¿Y qué hemos de hacer? —exclamó Emelina desesperada.

—Imítame. Obedecer y odiar a ese monstruo. No somos más que unas mercancías.

—¡Si no fuese pecado suicidarse!

—Lo que nos obligan a hacer diariamente es más grave que eso —murmuró tétricamente Cassy.

No tardó en despertar Simón Legrée, advirtiendo que todavía no le habían desaparecido los efectos del aguardiente ingerido la noche anterior. En tal estado lo primero que hizo fue dirigirse al encuentro de Tom.

—¡Arriba, animal! —rugió dándole una patada.

El esclavo hubo de realizar un enorme esfuerzo para levantarse, y quedó mirando al amo sin el menor temor, cosa que irritó a Legrée.

—Estoy dispuesto a olvidarlo todo si me pides ahora mismo perdón —le dijo.

Es necesario explicar que aquella oportunidad que daba a su esclavo no se debía a simple humanidad, sino a la necesidad que tenía de él para que trabajara sus campos y tener así más probabilidades de ganar las apuestas que cruzaba con los otros plantadores para ver quién de ellos presentaba más cantidad de algodón cada año... Pero Tom siguió sin moverse.

—¡Abajo, perro! —gritó Legrée.

—No puedo hacerlo, señor —murmuró Tom—. No debo retractarme de lo que creo que es justo. Usted me ha comprado y yo trabajaré cuanto pueda por complacerle. Máteme, si lo desea... Así iré pronto al lugar donde quiero reposar eternamente.

—Te aseguro que conseguiré rendirte antes de lo que tú supones.

—Confío en Dios.

—¡Falta te hará su ayuda! —gritó Legrée, descargando un terrible bofetón en el rostro de Tom.

Una mano helada tocó la del negrero, que se volvió asustado y vio a Cassy a su lado.

—¿Qué hace usted? —preguntó ella—. Déjele en paz. Yo le curaré y volverá pronto a su trabajo.

Legrée comprendió que, desde el punto de vista económico, aquélla era una sensata razón. Miró a Tom colérico y le amenazó así:

—Tú ganas, por ahora, porque me eres necesario. Pero no me olvidaré de cobrar esta cuenta.

Cuando desapareció el negrero, Cassy miró a Tom compadecida.

—Guárdese de él. Buscará la ocasión para destruirle. Jamás se olvida de hacer daño.

Simón Legrée envió a Tom a los campos mucho antes de lo que su salud lo permitía. Y, además, el esclavo soportó heroicamente los malos tratos del amo y sus capataces. No disponía de tiempo para leer su Biblia, pues hasta los domingos le hacían trabajar. El pobre, a veces, llegaba a dudar de todo y se creyó abandonado de Dios.

Pero un día todo cambió. Hallábase Tom ante el fuego de su choza y, de pronto, las cosas que le rodeaban desaparecieron y tuvo ante él la bendita visión del Hombre coronado de espinas. Y hasta oyó su dulce voz: "El que venza se sentará conmigo sobre mi trono, como Yo que vencí me he sentado con mi Padre sobre el suyo".

Jamás supo cuánto tiempo permaneció arrodillado. Cuando abrió los ojos el fuego estaba ya apagado, pero su espíritu resurgió poderoso y Tom dejó de sentir dolor, hambre y frío. Un nuevo horizonte se abrió ante él. En adelante todo lo terreno apenas tendría importancia.

Sus compañeros también advirtieron el cambio. Y Legrée, cuando le golpeaba, se dio cuenta de que Dios proporcionaba a su esclavo unas fuerzas invencibles. Había intentado en más de una ocasión hacerle renunciar de su fe a cambio de su rehabilitación en la plantación. No le tentaría más. Tom era ya demasiado fuerte.

Una noche, Cassy le llevó aparte y le dijo:

—Si usted lo desea, Tom, esta noche puede ser hombre libre. He echado en el aguardiente de Legrée algo que le hará dormir durante un buen rato. Nos desharemos de él fácilmente y todos nos salvaremos corriendo hasta más allá de los pantanos. Yo me habría encargado de ello, pero mi mano es débil...

—Antes me cortaría el brazo que cometer un crimen —declaró Tom gravemente.

—En tal caso, lo haré yo —anunció decidida Cassy.

— ¡Por favor, señorita Cassy! No se debe matar. El Señor nos manda amar a nuestros enemigos.

Y agregó, más suavemente:

—Escuche usted, Cassy: yo le aconsejaría que huyera con Emelina caso de no mediar ningún crimen.

—¿Nos acompañaría usted?

—Hace tiempo, quizá sí, pero hoy no. Debo cumplir una misión de Dios. Rezaré por ustedes con el mayor fervor.

—Gracias, padre mío —exclamó Cassy, pues en la plantación Tom era ya considerado como padre de todos.

Había en la casa de Legrée una buhardilla que se decía estaba encantada desde que murió en ella una negra castigada por el amo. Circulaban mil historias misteriosas entre los esclavos, que Legrée cortó duramente. Y Cassy pensó en utilizar aquella situación para sus proyectos de fuga.

Su cuarto se encontraba justamente debajo de aquella buhardilla y, un día, comenzó a sacar todos sus muebles y ropas para llevarlos a otra estancia.

En los días siguientes se ocupó, en secreto, de llevar a la buhardilla abundantes provisiones para dos personas, así como su equipaje y el de Emelina.

La oportunidad que esperaban para poner en práctica su plan no tardó en llegar. Legrée salió a girar una visita a una plantación vecina, y Cassy dijo a su amiga:

—Es la ocasión de huir, Emelina.

—Nos van a ver...

—Eso es, precisamente, lo que quiero. Sambo y Quimbo nos perseguirán, pero nosotras llegaremos antes a los pantanos. Ellos, entonces, no tienen más remedio que dar la voz de alarma y recoger los perros. Mientras recorren el pantano, nos introducimos en el arroyo que pasa por delante de la casa y regresamos a ésta por su parte posterior. Los perros no pueden seguir una pista por el agua. Subimos a la buhardilla y en ella permaneceremos mucho tiempo, en tanto Legrée y sus perros registran palmo a palmo el pantano y las tierras adyacentes, hasta agotarse. ¡Será hasta divertido!

Las dos mujeres salieron en silencio al exterior y se deslizaron silenciosas junto a las cabañas. Como Cassy supuso, una voz les dio el ¡alto! Pero no fue ni Sambo ni Quimbo, sino el mismo Legrée. Emelina sintió que el terror inmovilizaba sus piernas. Pero el valor de Cassy se impuso y la obligó a continuar. Legrée ordenó ·que soltasen los perros y se sumasen todos a la cacería. El negrero consideraba aquello una diversión, un deporte. Jamás se le había escapado un solo negro.

Pero aquella vez fracasó. Ya cobijadas en la buhardilla, Cassy y Emelina oyeron regresar a las partidas y vieron que el amo iba negro de lodo y con la más intensa de las cóleras reflejada en su semblante.

Al día siguiente se intentó nuevamente la caza de

las fugitivas, pero inútilmente. Toda la furia y odio de Legrée se volvieron contra Tom.

—El ha de saber dónde se han ocultado —pensó.

Y ordenó a Sambo y a Quimbo que lo llevasen a su presencia.

—Te voy a matar, Tom —le anunció de primeras.

—No me sorprende tal cosa, señor —dijo el esclavo.

—Pero puedes salvarte si me revelas dónde están esas dos mujeres que han huído. ¿Sabes algo? ¡Habla!

—Sé, pero no diré nada —declaró Tom—. Puede matarme. Estoy preparado.

Y, cortando las gruesas palabras en que estalló el negrero, Tom agregó dulcemente:

—Derramaría toda mi sangre, señor, con tal de salvar su alma.

Por un instante, Legrée se contuvo, como si hubiera sido tocado por aquellas hermosas palabras. No hay duda de que le impresionaron. Pero pronto rechazó el soplo celestial y derribó a Tom de un puñetazo.

Aquella noche, Sambo y Quimbo golpearon a Tom hasta el agotamiento. Legrée les gritaba una y otra vez:

— ¡No descansar hasta que confiese ese perro!

De vez en cuando se escuchaba la voz débil de Tom:

—Le perdono a usted, señor. Jesús también perdonó a los que le crucificaron.

A la madrugada le dejaron por muerto. Pero si el amo no se conmovió, no sucedió lo mismo con los dos capataces. Sambo consiguió algo de aguardiente y lo vertió en la boca del moribundo.

—Creo que esto es ir demasiado lejos —susurró Quimbo—. No he conocido crueldad semejante.

Tom abrió los ojos y Sambo se aproximó a él.

—Perdónanos, Tom —le dijo—. Hemos sido unos salvajes contigo. Dinos: ¿quién es Jesús?

Al oír aquella pregunta, Tom se reanimó y con

voz apagada les refirió en pocas palabras la vida y la muerte del Señor, mientras los dos verdugos lloraban.

— ¡Jesús, Jesús —repetían—, ten piedad de nosotros!

Al comprobar que acababa de salvar dos almas, Tom se sintió invadido de una suave dicha.

Dos días más tarde llegaba a la plantación un joven en un coche. Era Jorge Shelby. Desde la carta que escribiera Ofelia al señor Shelby hasta la presencia del muchacho en las posesiones de Legrée habían sucedido

muchas cosas y transcurrido mucho tiempo. El señor Shelby había muerto y ahora se encargaba de los negocios de su hijo, que era ya todo un hombre. Escribió a Santa Clara solicitando noticias de Tom y durante varios meses se dedicó a hacer averiguaciones, hasta que se encontró a un hombre que le pudo informar debidamente. Por eso estaba ahora allí, preguntando a Legrée por Tom.

—Es un negro muy terco —le dijo el amo—. Le acabamos de dar una gran paliza.

Jorge corrió al lugar donde se hallaba su amigo y lo halló convertido en una piltrafa humana. ¡Parecía imposible que aquel cuerpo destrozado pudiera albergar un soplo de vida siquiera!

—¡Tom! ¡Amigo mío! —exclamó Jorge—. ¿No me conoce usted? ¡Soy Jorge Shelby!

Tom le oyó con dificultad y abrió los ojos.

—¡Amito! —susurró—. Ahora ya puedo morir feliz.

—¡Usted no debe morir! ¡Pobre Tom!

—No soy pobre... Lo fui, pero Jesús me enseñó a amar incluso a mis enemigos.

Una bendita sonrisa iluminó su rostro al morir. Al levantarse abrumado de dolor, Jorge vio tras él a Legrée, que le miraba con indiferencia.

—¡Repugnante traficante de carne humana! —estalló Jorge—. ¡Algún día desaparecerán del país todos los de su ralea!

Logró dominarse y agregó:

—Voy a llevarme su cuerpo. ¿Cuánto pide por él?

—No vendo negros muertos —dijo Legrée.

Ayudado por algunos esclavos, Jorge llevó el cadáver de Tom al coche. Luego se volvió a Legrée:

—Denunciaré este asesinato —amenazó.

—¿Se olvida de las pruebas y de los testigos?

Jorge contempló la irónica sonrisa del negrero y

comprendió que nada podía hacer. Los tribunales del Sur sólo admitían testigos blancos y en la plantación no había ninguno.

—¿Y a quién importa un negro muerto? —exclamó Legrée.

Jorge no se pudo contener y derribó al malvado a tierra de un puñetazo y luego lo pataleó hasta aplacar su furor.

Enterró a Tom en un cerro próximo.

* * *

Legrée tuvo un fin digno de su vida; víctima de la bebida y de los remordimientos, murió poco después de un ataque de "delirium tremens". Cassy y Emelina, huyeron entonces de la plantación.

Cassy había visto a Jorge Shelby desde la ventanuca de su escondrijo, simpatizando con él, especialmente desde el instante en que vapuleó al amo. Y coincidiendo que ellas dos, Cassy y Emelina, debían tomar el mismo barco que el muchacho, Cassy le refirió toda la verdad de su fuga y Jorge le prometió su total ayuda.

Viajaba también en aquel barco una dama francesa, madame de Thoux, con una niña de unos doce años. Al saber que Jorge era de Kentucky le preguntó por Harris.

—Conozco a Jorge Harris. Se casó con Elisa, una sirvienta de mi madre: huyeron al Canadá.

Madame de Thoux lanzó un grito de triunfo.

—¡Bendito sea Dios! ¡Escapó...! ¡Es mi hermano!

—¿Qué puede decirme de su esposa? —quiso saber madame de Thoux, ante el asombro de Jorge.

—Es una joven muy bella e inteligente. Mi padre la compró en Nueva Orleans cuando tenía ocho o nueve años.

Cassy, que escuchaba atentamente la conversación, preguntó al muchacho con ansiedad:

—¿Sabe a quién se la compró?

—A un tal Simons.

—¡Dios mío! —gimió Cassy, y cayó al suelo sin sentido. Fue atendida y, cuando abrió los ojos, entre sollozos, declaró que Elisa era su hija.

Madame de Thoux y Cassy viajaron al Canadá y encontraron a sus queridos hermano e hija, respectivamente, y Cassy, en el nuevo ambiente lleno de bondad, se convirtió al cristianismo. Y como si su felicidad no fuera bastante, tiempo después halló a su otro hijo.

En cuanto a Topsy, Ofelia consiguió educarla, como se propuso. Siendo ya mujer, solicitó ser enviada como misionera a Africa.

Concluyamos diciendo que Jorge Shelby, al llegar a su casa, refirió sencillamente la virtuosa muerte de Tom y dio libertad a todos sus esclavos, aunque los contrató para que siguieran trabajando sus tierras, como obreros a sueldo. Un día, los reunió a todos y les dijo:

—¿Os acordáis del bondadoso Tom? Sabed que a él debéis vuestra libertad, pues prometí ante su tumba no poseer jamás esclavos. No olvidéis nunca a nuestro buen amigo, que murió perdonando a sus verdugos. Dad gracias a Dios por esta libertad y pensad en ella siempre que paséis ante la cabaña del tío Tom...